El divorcio explicado a los adolescentes

CYNTHIA MACGREGOR

El divorcio explicado a los adolescentes

EDICIONES OBELISCO

Si este libro le ha interesado y desea que le mantengamos informado de nuestras publicaciones, escríbanos indicándonos qué temas son de su interés (Astrología, Autoayuda, Ciencias Ocultas, Artes Marciales, Naturismo, Espiritualidad, Tradición...) y gustosamente le complaceremos.

Puede consultar nuestro catálogo en www.edicionesobelisco.com

Colección Nueva Consciencia
El divorcio explicado a los adolescentes
Cynthia MacGregor

1.ª edición: junio de 2006

Título original: *The Divorce Helpbook for Teens*

Traducción: *Cristina Domínguez*
Maquetación: *Marta Rovira*
Corrección: *Elisenda Terré*
Diseño de cubierta: *Enrique Iborra*

Edita: Ediciones Obelisco S.L.
Pere IV, 78 (Edif. Pedro IV) 3.ª planta 5.ª puerta
08005 Barcelona-España
Tel. 93 309 85 25 - Fax 93 309 85 23
E-mail: obelisco@edicionesobelisco.com

ISBN: 84-9777-292-X
Depósito Legal: B-25.674-2006

Printed in Spain

Impreso en España en los talleres gráficos de Romanyà/Valls S.A.
Verdaguer, 1 – 08076 Capellades (Barcelona)

Para Justin y Tori,
que ya han pasado por ello.

Introducción

Hace unos años escribí un libro titulado *El divorcio explicado a los niños*. Los comentarios que he recibido sobre él me dicen que ha ayudado a muchos niños a lidiar con todo aquello a lo que se enfrentan cuando sus padres se divorcian.

Es raro que un divorcio no afecte a los hijos. Aun cuando los padres se han estado peleando de modo horrible durante mucho tiempo y el divorcio trae consigo la tan esperada paz, hay cuestiones a resolver: padres ausentes que no visitan a los hijos tan a menudo como debieran (o tan a menudo como a los hijos les gustaría que lo hicieran); padres que utilizan a sus hijos para transmitirse mensajes; padres que utilizan a sus hijos como espías para averiguar lo que sucede en casa de su ex marido o ex mujer; y, quizá, hijos que echan de menos al padre o madre que ya no vive en casa.

Ésas son sólo algunas de las situaciones a las que se tienen que enfrentar los hijos cuando sus padres ponen fin a su matrimonio.

El divorcio explicado a los niños iba dirigido a niños de entre ocho y doce años. ¿Qué pasa entonces con los adolescentes? Al ser mayores, los adolescentes entienden mejor lo que sucede. Sin embargo, también tienen que enfrentarse a sus propios problemas cuando sus padres se divorcian.

Afortunadamente, también hay ayuda para ellos y la encontrarás en estas páginas.

Parte de la información que hallarás en este libro difiere de la que contiene *El divorcio explicado a los niños*. Tú eres mayor. Hay cosas que a ti se te pueden decir pero que no sería apropiado incluir en un libro para niños. Cierta información es la misma... pero está escrita para ti. Tú ya no estás en primaria.

Espero que este libro te ayude, tanto si tus padres están contemplando la posibilidad de poner fin a su matrimonio, como si están en proceso de divorciarse o ya llevan tiempo divorciados. También espero no ser la única que te ayude. Existen muchos otros recursos a los que puedes recurrir si estás pasando por un mal momento debido a todo lo que está sucediendo en la vida de tus padres. ¿Cuáles son esos recursos?

- ☺ Tus amigos... en especial aquellos que ya han pasado por lo que tú estás pasando ahora.

- ☺ Un profesor en el que confíes y que sepa dar buenos consejos.

- ☺ Un consejero profesional cualificado. (Esta persona puede ser tanto un psicólogo como un asistente social o un terapeuta familiar, o quizá alguien con otro cargo, pero él o ella está específicamente preparado o preparada para ayudar a aquellas personas que están pasando por un momento difícil en la vida.)

- ☺ El consejero o psicólogo de tu colegio, si lo hay.

- ☺ Un clérigo (ministro, rabino, sacerdote...).

- ☺ Un consejero o líder juvenil de tu iglesia o sinagoga.

- ☺ Un adulto con el que te sea fácil hablar y que sepas que da buenos consejos. Puede ser un familiar, un vecino, un amigo de la familia, o el padre o la madre de un amigo.

☺ Otros libros, páginas web y líneas de asistencia telefónica.

Además, puede que te resulte útil escribir un diario. Sí, un diario y no pongas los ojos en blanco porque muchos famosos, tanto hombres como mujeres, han escrito diarios. Un diario es propiedad privada y por lo tanto te pertenece sólo a ti. Puedes utilizarlo para escribir únicamente los hechos o, si lo prefieres, también puedes incluir en él tus emociones. ¿Qué es lo que hoy ha ido mal? ¿Qué es lo que ha ido bien? ¿Qué ha ocurrido hoy que fuera distinto al modo en el que solían ocurrir las cosas antes de que tus padres se separaran? Escríbelo todo en tu diario.

Será aún más útil si también eres capaz de incluir en él tus sentimientos: «Es un asco que mamá y papá no vivan en la misma casa», «Ojalá mamá dejara de gritarme cada dos por tres sólo porque no es feliz. Me saca de quicio», «¿Cómo es que Todd puede irse a vivir con papá y yo no? ¡No es justo!», «Siento pena por Angie. Esto es mucho más duro para ella que para nosotros».

A tu diario puedes contarle cosas que quizá no quieras contarle a nadie más. Además, él siempre estará ahí para ti, incluso si te despiertas a las tres de la madrugada y no puedes dormir. Él nunca tiene que ir a entrenar con el equipo de baloncesto o hacer los deberes o ninguna otra cosa que a veces pueda mantener ocupados a tus amigos (o a cualquier otra persona) justo cuando necesitas hablar con ellos.

A veces el simple hecho de poner una situación por escrito (o hablar de ella) y relatar lo que sucede, lo que piensas de dicha situación y cómo te hace **sentir**, basta para ayudarte. En ocasiones, hablar de una situación o escribir sobre ella también te dará ideas acerca de cómo lidiar con una determinada parte del problema.

No puedes cambiar lo ocurrido. No puedes volver a unir a tus padres pero **sí** puedes cambiar ciertas situaciones que se han producido como consecuencia del divorcio y aprender a sobrellevar otras situaciones con más facilidad (si no se puede cambiar una situación, ¿no te parece positivo que por lo menos puedas conseguir que no sea tan dolorosa o estresante para ti?).

Escribir un diario puede ayudarte con todo esto. ¿Por qué no intentarlo?

Es duro encontrarse en una situación que hace que uno necesite ayuda, pero espero con todo mi corazón que si tú te encuentras en ella, este libro te ayude y te consuele.

Puntos a recordar

- ✓ Ayuda contarle a alguien lo que está ocurriendo en tu vida y cómo te sientes.
- ✓ Puede resultar útil escribir un diario.
- ✓ No puedes deshacer el divorcio, pero sí puedes dar un giro a los problemas que acarrea.

1. No es culpa tuya, ¡aunque sientas que lo es!

Un examen de álgebra para el que has estudiado pero para el que todavía sientes que no estás preparado o preparada. ¡Demasiadas tareas que hacer en casa! Profesores que ponen deberes como si pensaran que no tienes otra cosa que hacer en toda la tarde. Tu hermano pequeño que quiere que le ayudes con su maqueta de avión y no te deja en paz. Visitas familiares aburridas de adultos que no te importan en absoluto. Tu mejor amigo o amiga que está pasando por una crisis porque ha roto con su novio o novia. Los nervios de las pruebas del equipo del viernes. ¡Colega! No es nada fácil ser adolescente, ¿verdad?

¡No, no lo es! ¿Y encima ahora tus padres se están divorciando (o ya están divorciados)? ¡No es justo! ¿Es que no tienen en consideración tus sentimientos? **¡Ser adolescente puede ser un palo!**

Analicemos la realidad: sé que la ruptura de tu familia es un golpe duro para ti, pero ten en cuenta que **para tus padres tampoco es divertido divorciarse**. Esto no te lo están haciendo **a ti** y tampoco lo están haciendo **por tu culpa**. De hecho, por mucho que te duela, ¡es importante que te des cuenta de que **el divorcio no tiene nada que ver contigo**! La mayoría de las veces el divorcio es un infierno para toda la familia. Lo creas o no, a tus padres también les duele, y mucho.

Este libro, sin embargo, **trata** de ti, así que echemos un vistazo a eso por lo que probablemente estés pasando en estos momentos.

Estás acostumbrado o acostumbrada a que la vida sea más o menos como siempre lo ha sido. Estás acostumbrado o acostumbrada a la (relativa) paz de tu vida familiar. Sí, claro... a veces tu madre te grita para que limpies tu habitación. (¿¡«A veces»!? ¡Vale, puede que esté encima de ti las veinticuatro horas del día!) Y, por supuesto, tu padre también lo está. Quiere que «¡trabajes después de las clases!» para que ahorres para ir a la universidad, o que «¡dejes de trabajar después de clase!» para que puedas estudiar más y sacar mejores notas, o que «¡limpies el garaje!» (y un millón de tareas de una lista que están ahí esperándote), o que «dejes ese grupo de rock aficionado "como se llame" y te dediques más a **estudiar**» en vez de dejar sordos a los vecinos, o quizá todo a la vez.

No obstante, en los «buenos tiempos», antes de que tu padre y tu madre empezaran a agobiarte tanto, la vida era muchísimo más tranquila. Más soportable.

¿Sabes qué? Apuesto a que tus padres no estarían tanto encima de ti si **su** vida fuera más feliz. Apuesto a que si ellos no fueran tan infelices te dejarían en paz.

¿Qué? ¿Infelices tus padres? ¿Cómo de infelices? Parecen los mismos de siempre.

Te daré una pista. Los padres no siempre muestran a sus hijos lo que sucede en su vida, su mente o su corazón. Seguramente habrás notado que algo no iba bien últimamente, pero ahora sabes que es peor de lo que pensabas y, además, estás descubriendo que cuando los padres se pelean a menudo lo pagan con sus hijos.

«¡No es justo! ¡Eso es cosa de ellos! ¿¡Por qué lo pagan conmigo!?»

Porque son seres humanos. No, no es justo pero... sé honesto u honesta... ¿Tú eres siempre justo o justa? Ahora, di la verdad. ¿Nunca le has gruñido a tu madre, regañado a tu hermana pequeña o dejado de lado a tu mejor amigo o amiga porque tenías un mal día?

Eres un ser humano, ¿no es cierto? Pues tus padres también lo son.

* * *

Cuando el matrimonio de los padres de Andrea empezó a deteriorarse, a la mamá de Andrea nada la hacía feliz, ni siquiera cualquier cosa que Andrea hiciera. Lauren, la mejor amiga de Andrea, había pasado por todo eso con sus padres, que se habían divorciado el año anterior.

—No tiene nada que ver contigo –le dijo Lauren a Andrea–. Procura mantenerte apartada de su camino hasta que su matrimonio vuelva a la normalidad... o se rompa.

—¡Pero yo no quiero que mis padres se separen! –respondió Andrea.

Sin embargo, eso es lo que ocurrió y Andrea, optimista por naturaleza, intentó verlo por el lado bueno. Por lo menos ahora resultaría mucho más fácil vivir con su madre. Al no vivir su padre en casa, su madre no sería tan infeliz. Por lo menos en ese aspecto la vida sería mejor de ahora en adelante. No obstante, las cosas no fueron así. La mamá de Andrea era más infeliz que nunca. Tenía la cara larga constante-

mente, nunca parecía estar feliz y todavía parecía disgustarle casi todo lo que Andrea hacía. ¡Incluso parecía gritarle más a Andrea ahora de lo que lo había hecho nunca!

Andrea no lo entendía y Lauren tampoco. La mamá de Andrea había sido infeliz de casada, pero ahora estaba divorciada. ¿Por qué seguía siendo infeliz?

* * *

El divorcio no resuelve automáticamente los conflictos que existían en el matrimonio y, a veces, incluso genera nuevos problemas.

Las personas se divorcian por diversas razones. Algunos de los problemas que existían durante el matrimonio se solucionan una vez que la pareja deja de estar casada. Sin embargo, otros pueden persistir incluso después del divorcio. Supongamos, por ejemplo, que el marido es perezoso o irresponsable, o ambas cosas. Este tipo consigue que le despidan de un trabajo tras otro, se pasa el tiempo por ahí con sus amigos, ignora a su familia y vive de sus familiares. Es muy probable que incluso después de que esa pareja se haya divorciado, la ex mujer se preocupe, ya que es de esperar que un hombre de esa clase no sea muy bueno a la hora de pagar la pensión alimenticia, ayudar a cuidar de los hijos o hacer cualquier otra cosa para ayudar a la familia que él contribuyó a crear.

Esto es sólo un ejemplo. He aquí otro:

Supongamos que la mujer es mala con su marido y que él finalmente la deja. Lo normal sería pensar que el marido está muy contento de haber salido por fin de un matrimonio en el que se le trataba mal, y probablemente lo esté. No obstante, supongamos que ahora no va bien de dinero y que a duras penas puede permitirse pagar la casa, el coche, la comida y otros gastos indispensables. Cuando estaba casado, tenía mucho dinero pero, ahora, por primera vez e incluso con la pensión que le pasa su ex mujer, no tiene suficiente. Eso significa que estará permanentemente disgustado y preocupado.

Existen muchas otras cosas que pueden preocupar a las personas después de un divorcio y hacer que sean infelices incluso a pesar de que estén contentas de haberse divorciado. Pongamos un último ejemplo: antes de divorciarse, los padres educaban a sus hijos en casa. Tras el divorcio, ambos padres deben trabajar para salir adelante económicamente, así que, de repente, el hijo de cuatro años tiene que ir a la guardería, el de nueve, a un colegio público y el de trece, a un instituto público. Si las escuelas locales son inferiores a nivel educativo, no ofrecen un buen ambiente o son poco seguras, la familia será tremendamente infeliz.

Hay muchas otras razones por las que un padre puede ser infeliz tras un divorcio. Si a los padres ya no les resulta fácil criar a los hijos cuando están juntos, hacerlo solos es aún más difícil.

Cuando uno se divorcia, los problemas no desaparecen por arte de magia y es habitual que tras él surjan nuevos conflictos.

Debido a su condición de seres humanos, las madres y los padres pueden volverse irritables o impacientes con sus hijos. Puede que griten mucho, que no les escuchen, que les pidan que lleven a cabo tareas de la casa poco razonables o que esperen que éstos actúen como si ya fueran adultos, etc.

Puede que ni siquiera se den cuenta de que están siendo injustamente duros con sus hijos. En ocasiones un hijo o una hija mayor –¡ése o ésa eres tú, adolescente!– tiene que sentarse con el padre o la madre y hacerle notar **con calma, no de forma acusatoria**, que le está tratando de forma injusta; explicarle que parece enfadarse con demasiada facilidad, que se enfada hasta el punto de sacar las cosas de quicio, que espera demasiado de sus hijos o cualquier otra cosa que pueda estar afectando a la relación que mantiene con ellos.

Como dije al principio del presente capítulo, si ya, para empezar, no es fácil ser adolescente, aún lo es menos vivir el divorcio de tus padres. Ser un adolescente cuyos padres se están divorciando, o se han divorciado, parece duplicar tus problemas y tu estrés, ¿verdad?

Hay una cosa más en la que me gustaría que pensaras antes de poner fin a este capítulo. Échale un vistazo al siguiente caso –la historia de Jeremy– y piensa si algún miembro de tu familia podría estar sufriendo una depresión. Es algo grave y puede requerir ayuda especial.

* * *

Desde que el padre de Jeremy se fue de casa, la madre de Jeremy es muy reservada. Está muy callada, encerrada en sí misma, apagada. No habla demasiado con él. Ni siquiera está encima de él para que limpie su habitación. Una noche, no hace mucho, Jeremy llegó a casa algo más de una hora después de su toque de queda. Entró de puntillas con la esperanza de que su madre ya estuviera durmiendo, pero ésta estaba en el salón escuchando música a oscuras, algo que venía haciendo desde que el padre de Jeremy se había ido.

Oyó llegar a Jeremy y dijo: «Buenas noches, cielo». ¡Ni una palabra acerca de lo tarde que había llegado!

Aunque Jeremy se sintió aliviado de que no le dijera nada por llegar más tarde de lo que debía, no estaba para nada contento. Su alivio estaba entremezclado con una sensación de... bueno, decepción era la palabra con la que mejor pudo describirla.

¡No es que quisiera que su madre estuviera encima de él! Sin embargo..., imaginaba que se trataba de dos cosas. En primer lugar, aunque le fastidiaba que, en los viejos tiempos, ella le gritara, ahora parecía como... como si a ella ya no le importara. Si no le importaba que llegara tarde, quizá tampoco le importara él en absoluto.

En segundo lugar, su madre no era ella misma en muchos aspectos. Todo este asunto de que no le importe que llegara tarde, no hiciera los deberes o tuviera su habitación hecha un desastre... es sólo parte de lo que le ha sucedido a ella, y a Jeremy no le gusta verla así.

Él quiere a su madre y se da cuenta de que a ella no le va muy bien desde que su padre se fue de casa. No le hace falta ser terapeuta para darse cuenta de ello. No hace falta ser muy inteligente para verlo pero, ¿qué puede hacer él?

¿Qué es peor, que tu padre o tu madre o los dos estén tan enfadados el uno con el otro y que lo paguen contigo... o que parezca que no les importe lo que hagas?

Es como si te preguntaran: ¿qué preferirías, que un luchador de sumo de ciento ochenta kilos de peso te pegara una paliza o que te cayera una tonelada de ladrillos encima? Elijas la opción que elijas saldrás malparado.

¿Hay algo en la historia de Jeremy que te resulte familiar?

Lo que Jeremy tiene que entender –y tú también si tu padre o tu madre se están comportando como la suya– es que la madre de Jeremy está deprimida. En ocasiones la reacción de las personas frente a las situaciones que les hacen infelices consiste en enfadarse (y a veces lo pagan con la persona equivocada, como el padre o la madre que está enfadado con su ex marido o ex mujer y lo paga con los hijos, con los compañeros de trabajo o simplemente con todo el mundo).

En otras, las personas reaccionan encerrándose en sí mismas. Es como si se hubieran aislado por completo. No les importa nada. No les importa qué hay de cena, aunque sea su plato favorito, ni si se enfrentan a noticias buenas o malas, placeres o problemas. Lo único que sienten es dolor. Infelicidad. Tristeza, puede que una pena abrumadora. Aunque a veces no sienten nada en absoluto.

En ocasiones los padres no se dan cuenta de que están deprimidos. Simplemente piensan que son «infelices» y, ¿por qué no iban a serlo después de haber puesto fin a su matrimonio? (Esto es así sea quien sea el que haya solicitado el divorcio.) Otros padres sí son conscientes de que están deprimidos pero no quieren hablar de ello o les preocupa compartir sus sentimientos con sus hijos porque piensan que les disgustarán aún más.

¿Hay algo que Jeremy, o cualquier otro niño que se encuentre en su misma situación, pueda hacer por su madre? Algo que podría ayudar sería decirle a alguien en quien confíe que ella lo está pasando mal, que su madre parece estar deprimida.

Lo que no debería hacer es decírselo a su padre. Su madre y su padre ya no son pareja. Sin embargo, podría contárselo a su abuela (la madre de su madre, no la de su padre), a la mejor amiga de su madre o incluso al médico de su madre. Si su madre tiene alguna hermana a la que esté muy unida, Jeremy podría comentárselo a ella.

La depresión es una reacción bastante común al divorcio, tanto en los padres como en los hijos. De hecho, si Jeremy estuviera deprimido, no me sorprendería. Lo más probable es que con el tiempo su madre supere la depresión pero ¿por qué esperar? ¿Por qué tiene que sufrir? Y, ¿qué pasa si ella es una de esas pocas personas que no consiguen superarla pronto por sí mismas?

Existen muchos tipos de ayuda para las personas que están pasando por una depresión, y en especial aquéllas causadas por algún acontecimiento concreto, tales como un divorcio o la muerte de un miembro de la familia. Una terapia a corto plazo de la mano de un consejero cualificado (o incluso un consejero pastoral, es decir, un clérigo) puede ser muy beneficiosa. También hay medicamentos que pueden facilitar mucho las cosas.

Sería mejor que la madre de Jeremy buscara ayuda, ya sea en forma de medicamentos o de sesiones con un consejero, o incluso ambos, antes que intentar luchar ella sola contra la depresión. Sería mejor tanto para ella como para Jeremy. Y si Jeremy empieza a estar deprimido, también debería buscar ayuda; no hay razón alguna para avergonzarse o sentirse incómodo por el hecho de necesitarla. Es perfectamente normal que las personas de cualquier edad se vean afectadas por cambios vitales tan importantes como un divorcio.

Puntos a recordar

- ✓ Un divorcio es duro para todos los miembros de la familia, incluidos los padres.
- ✓ Tus padres no se divorcian para hacerte infeliz. Tampoco se divorcian por tu culpa.
- ✓ Si son más duros contigo ahora es porque ellos son muy infelices, incluso aunque no lo demuestren.
- ✓ Puede que el divorcio solucione algunos de los problemas del matrimonio, pero no los resolverá todos de inmediato y es posible que también genere nuevos conflictos.
- ✓ Si uno de tus padres está muy callado y encerrado en sí mismo, quizá esté deprimido. Esto suele ocurrir tras un divorcio.
- ✓ También es frecuente que los hijos se depriman, pero existen lugares donde puedes obtener ayuda.

2. ¿Cómo nos metimos en este lío?

A pesar de que a veces el divorcio no pilla por sorpresa a los hijos, la mayoría de las veces sí lo hace. Echemos un vistazo a los siguientes casos:

* * *

Los padres de Jenny solían enfadarse de vez en cuando. Últimamente, sin embargo, se enfadaban más a menudo, aunque Jenny no pensaba mucho en ello. Claro que no era agradable oír como su padre y su madre se atacaban el uno al otro, ya fuera a modo de pequeñas discusiones que parecían durar eternamente, o en una de sus grandes peleas periódicas, en las que predominaban los gritos, pero aunque Jenny odiaba que sucediera, nunca pensó que darían lugar a un divorcio.

Cuando su padre y su madre se peleaban, Jenny se iba a su habitación, cerraba la puerta, ponía música –mucho más alta que de costumbre– y borraba de su mente el sonido de las voces enfurecidas. Al rato, la fuerte discusión terminaba y en la casa quedaba una atmósfera tensa pero tranquila.

Esto llevaba ocurriendo varios meses cuando la madre de Jenny se sentó con ella y le dijo que su padre y ella se iban a divorciar.

Jenny se quedó estupefacta. Ya sabía que últimamente sus padres se habían estado peleando más que de costumbre, pero las familias que salían por la tele también se peleaban y no acababan divorciándose. En alguna ocasión, cuando estaba en casa de alguno de sus amigos, los padres de éste o ésta habían empezado a discutir. Siempre salían rápidamente de la habitación y se iban a algún lugar donde Jenny no pudiera oírles pero, aún así, Jenny sabía que los padres de su amigo se estaban peleando. Por lo tanto, los padres de otras personas también se peleaban y no se divorciaban. ¿Por qué tenían que separarse los suyos?

Naturalmente que Jenny sabía que algunos padres sí se divorciaban, pero hasta aquel momento siempre habían sido los padres de otra persona, y ésa era precisamente la cuestión: ¡aquello era algo que le sucedía a los padres de otras personas y no a los suyos!

El caso de Burt era ligeramente distinto al de Jenny. Sus padres se peleaban y él lo sabía, pero lo habían hecho siempre... hasta donde alcanzaba su memoria. Pero, si siempre se habían peleado, ¿por qué se iban a divorciar ahora? Se habían estado peleando durante años pero aun así habían seguido casados. ¿Por qué entonces se iban a divorciar justo ahora? Sin embargo, eso es lo que el padre de Burt le dijo que iba a suceder.

Burt no lo entendía. Si habían conseguido vivir juntos todos esos años a pesar de las peleas, ¿por qué no podían dejar las cosas como estaban? ¡No era justo! ¡En su opinión no debían sorprender a un hijo con noticias como ésa!

Los padres de Adam eran justo lo contrario de los padres de Burt: parecía que nunca se peleaban. Ésa es la razón por la que la noticia pilló a Adam totalmente por sorpresa cuando, una noche, tuvieron una reu-

nión familiar y sus padres le explicaron, en un tono la mar de civilizado, que ya no podían seguir viviendo juntos y que iban a divorciarse. ¿A divorciarse? ¿Por qué? ¡Si nunca se peleaban! Eran raras las ocasiones en las que no estaban de acuerdo. ¿Por qué razón iban a querer divorciarse?

* * *

La experiencia de los padres de Jenny es un caso bastante común. Pueden existir muchas razones por las que, de pronto, los padres empiezan a pelearse con más asiduidad, incluso a pesar de que antes sólo acostumbraran a discutir de forma ocasional. Para ti no es importante conocer todos y cada uno de esos motivos y la razón concreta de tus padres es algo que debe quedar entre ellos. Es muy probable que lo consideren algo privado. No obstante, para ayudarte a entender lo que podría estar ocurriendo, veamos algunas de las razones por las que, a veces, los padres empiezan a pelearse más, cuando nunca solían hacerlo, o por las que deciden divorciarse, incluso aunque no suelan discutir.

En primer lugar, debes entender que cuando las personas alcanzan la mediana edad, a veces cambian. Sus necesidades cambian, sus deseos cambian y sus sentimientos cambian. Eso sí, debes tener claro que, pase lo que pase entre tus padres, ellos siempre te querrán a su manera. Es algo natural entre padres e hijos. Incluso aunque ahora mismo parezcan estar, en ocasiones, más enfadados contigo que de costumbre y, por lo tanto, no lo demuestren demasiado, siempre te querrán. (Y piensa que, a veces, cuando te gritan, es posible que en realidad no estén enfadados contigo. Lo más probable es que no estén contentos con cómo están evolucionando sus vidas o con el hecho de que su matrimonio se esté viniendo abajo y que parte de esa ira te esté afectando a ti.) Sin embargo, aunque su amor por ti no desaparezca, otras cosas sí cambian en su mente.

Una de esas cosas puede ser lo que esperan de la vida y de su matrimonio, y puede que su matrimonio se convierta en la víctima de dichos cambios.

Algunas personas se dan cuenta al alcanzar la mediana edad de que no han hecho todas las cosas que querían hacer. Quizá sientan que no han sido todo lo felices que querían ser en la vida. A veces esto ocurre porque el matrimonio no es lo suficientemente satisfactorio o feliz para ellos. Otras veces se debe a otras razones, pero aun así se le echa la culpa al matrimonio.

El resultado de todo esto puede ser una serie de peleas continuas, un divorcio o incluso ambas cosas. (A veces la persona insatisfecha no se pelea con su marido o su mujer, sino que se limita a marcharse de casa.)

A lo mejor fue eso lo que le sucedió a los padres de Adam, la pareja que se divorció tan inesperadamente, a pesar de que no discutieran nunca. Puede que ni siquiera sintieran ira. Quizá simplemente estuvieran insatisfechos con sus vidas y con el matrimonio y, conscientes de que ya nunca volverían a ser jóvenes de nuevo, decidieran ponerle fin y buscar la felicidad en otra parte.

Otro problema común que puede conducir a la ruptura del matrimonio es que la pareja se casara demasiado pronto y/o cuando eran demasiado jóvenes. Quizá fuera «amor a primera vista», que no es una buena base para un matrimonio sólido. No todas las parejas llegan a conocerse bien antes de casarse y, cuando al cabo de varios años de estar juntos, se conocen bien, es posible que se den cuenta de que no estaban hechos el uno para el otro y se separen.

A veces las parejas se separan cuando uno de los dos se enamora de otra persona. Esto sólo suele ocurrir cuando el matrimonio ya tiene problemas. En ocasiones, esas «aventuras», como se las suele llamar, no rompen el matrimonio, sino que terminan y, quizá con la ayuda de un consejero matrimonial, no sólo se llegan a perdonar sino que llevan a la pareja a poner más empeño en hacer que el matrimonio funcione.

¿Qué pasó con los padres de Burt, la pareja que no cesaba de discutir en mayor o menor medida, para que su repentino divorcio cogiera a su hijo por sorpresa? Existen un par de posibilidades. Una es que discutieran mucho más en privado sin que Burt lo supiera. La otra es que habían sido infelices durante todos esos años de conflicto pero habían decidido seguir juntos hasta que Burt fuera lo suficientemente mayor como para que ellos se sintieran más cómodos al romper la unidad familiar. Algunos padres infelizmente casados siguen juntos «por el bien de los hijos» y no se divorcian hasta que los hijos crecen. Puede que esperen hasta que sus hijos hayan crecido del todo y se hayan marchado de casa o que sólo lo hagan hasta que ya no sean tan jóvenes, aunque a menudo seguir juntos «por el bien de los hijos» no es, desafortunadamente, lo mejor para ellos.

No obstante, fuera cual fuese la situación de tu familia antes de la ruptura, es muy importante que recuerdes que el divorcio no se debe a nada que tu hayas hecho.

La habitación de Jamie tenía el mismo aspecto que la típica habitación de cualquier adolescente, es decir, estaba hecha un desastre. Su madre y su padre habían discutido con ella varias veces por ello, pero no había servido de nada. Sus notas tampoco eran excesivamente buenas y ésa era otra de las razones por la que sus padres solían estar encima de ella. No suspendía ninguna asignatura, pero sus notas eran una mezcla de aprobados y notables, sin un solo sobresaliente. Sus padres insistían en que debía estudiar más. Jamie siempre les decía que hacía todos los deberes, estudiaba para todos sus exámenes y hacía todo lo que podía.

—Si pasaras menos tiempo chateando y jugando con el ordenador y estudiaras más, podríamos estar orgullosos de ti –le dijo su padre.

Las palabras de su padre hicieron mella. ¿Por qué no estaba orgulloso de ella ahora? Jaime estudiaba, no faltaba a clase, no tomaba drogas, hacía todas las tareas de la casa que le mandaban y su grupo de amigos era lo suficientemente decente.

Hacia mediados de su segundo año, la relación entre Jamie y sus padres, en especial con su padre, empeoró. Nada de lo que ella hacía le satisfacía. Ponía la música demasiado alta, y encima la música que escuchaba era «basura». El estado de su habitación le ponía furioso.

—¡Ni que llevara un piercing en la ceja o en el ombligo o me hubiera puesto una barra que me atravesara la nariz! –protestó Jamie, que pensaba que llevar tres aros en cada oreja no era nada en comparación con los piercings que se habían hecho algunos de sus amigos.

Al padre de Jamie no le gustaba nada de ella, desde su ropa y su maquillaje hasta su interés por la ideología new age. La madre de Jamie tampoco aprobaba nada de lo que hacía, pero el principal problema era su padre. Discutían con frecuencia e incluso cuando no parecía tener nada que desaprobar, no la alababa nunca ni parecía estar satisfecho con nada de lo que hiciera.

Muchas veces, cuando perdía los estribos con ella, gritaba: «¿Cómo va a poder un hombre vivir en una casa como ésta?».

Las cosas siguieron así durante la segunda mitad del segundo año de Jamie, todo el verano y el otoño del siguiente curso. Después, su padre se marchó de casa.

Naturalmente, Jamie se sintió como si tuviera la culpa de que él se hubiera marchado. Hasta entonces, habían discutido día sí y día también y él nunca había *estado contento con nada de lo que ella hacía. Ahora él se había ido y en casa por fin reinaba la paz y la tranquilidad, pero tenía su precio: una abrumadora sensación de culpabilidad. Jamie sentía que, de algún modo, había conducido a su padre a querer marcharse de casa.*

* * *

¡Jamie no había hecho nada de eso! Detrás de la historia se esconde la verdad: los padres de Jamie ya no eran felices juntos. El padre de Jamie se molestaba y se enfadaba con facilidad porque ya no estaba satisfecho con su situación en casa. Sin embargo, también es cierto que aunque su matrimonio hubiera ido bien, podría no haber estado contento con algunos aspectos de la vida de su hija. Probablemente, no habría aprobado el estado de su habitación, sus notas y muchas otras cosas más. La discordia entre los padres y sus hijos adolescentes es común en la mayoría de familias debido a esta clase de cuestiones, pero no hay duda alguna de que el padre de Jamie había sido mucho más duro con ella porque era infeliz en su matrimonio.

¿Es justo? No. ¿Está bien? No. ¿Es cosa de humanos y algo demasiado común? Desgraciadamente, sí.

Es comprensible que Jamie se echara la culpa de que su padre pusiera fin a su matrimonio y se marchara de casa. Si ya es una reacción comprensible en cualquier caso, aún lo es más cuando el conflicto que existe entre los padres no es obvio. En este caso da la impresión, equivocada, de que la única persona con la que el padre de Jamie no estaba satisfecho era Jamie. Cuando uno de los padres rompe la unidad familiar y se va, los hijos suelen sentirse responsables de ello.

Si tu madre y tu padre discutían mucho (o no se hablaban) antes de la ruptura, te resultará más fácil entender su problema. Sin embargo, si ponían buena cara y fingían que el matrimonio iba de maravilla cuando tú (u otras personas) estabas delante, el divorcio se presentará más bien como una sacudida. Y no sólo eso, sino que será más difícil creer que las cosas no iban bien entre ellos. Naturalmente te preguntarás cuál era el problema y quizá, al igual que Jamie, te eches la culpa de todo.

Aunque suelen producirse fricciones entre la mayoría de adolescentes y sus padres, ¡rara vez conducen a alguno de los padres a marcharse de casa! Está claro que las discusiones que se producían entre Jamie y sus padres y el hecho de que su padre no estuviera contento con ella no fueron las razones por las que él se fue de casa.

Si tienes pensamientos de esa clase acerca del divorcio de tus padres, es importante que te los quites de la cabeza. Da igual cuán infeliz esté o estuviera tu padre o tu madre con tu estilo de vida, tus notas, el estado de tu habitación, tus amigos o cualquier otra cosa, **porque ésa no fue de ningún modo la causa de su divorcio o la razón por la que uno de ellos se marchó de casa**.

En ocasiones, también, aunque el niño o la niña es consciente de que el problema lo tienen sus padres y no es culpa suya, no puede evitar preguntarse si las cosas hubieran sido más fáciles para ellos de no haber estado él o ella. Supongamos, por ejemplo, que los padres se peleaban por cuestiones de dinero. El adolescente podría pensar: «Si no me hubieran tenido, tendrían más dinero y no se pelearían» o «A veces no están de acuerdo en cómo disciplinarme o en qué deben permitirme hacer. Si no me hubieran tenido, no tendrían tantas preocupaciones y quizá aún seguirían juntos».

Todo los padres difieren hasta cierto punto en cómo educar a sus hijos y muchas familias tienen problemas económicos pero, en un matrimonio sólido, la pareja puede estar en desacuerdo sin llegar a pelearse, dejarse de hablar o hacer de ello un gran problema. Además, en un matrimonio sólido, la falta de dinero –sea cual sea la causa– no dará lugar de por sí a una ruptura. Por lo tanto, **sigue sin ser culpa tuya**.

Si tus padres no han tenido peleas fuertes y frecuentes, es probable que te preguntes por qué se divorcian o, aunque se peleen delante de ti, por qué está sucediendo esto ahora si solían llevarse tan bien. Es natural que sientas curiosidad acerca de una alteración tan importante en la vida de tu familia.

A pesar de que es normal que te preguntes esas cosas, debes dar a tus padres algo de privacidad y espacio y respetar sus derechos. Después de todo, no te interesa oír cómo tu madre pone a tu padre por los suelos o cómo tu padre critica a tu madre mientras te cuenta todas y cada una de las causas de la ruptura y todos los fallos que ve en ella.

Si uno de tus padres empieza a hablarte mal del otro y se queja de la forma en que él la ha tratado o de que su manera de comportarse le condujo a abandonarla, quizá quieras decirle algo como: «Es mejor que eso se lo cuentes a tus amigos. Es mi madre o mi padre, y la razón de que lo vuestro no haya funcionado debe quedar entre vosotros dos».

Además, para asegurarte de que el padre o la madre que viene a quejarse a ti no se piense que dices eso en defensa del otro, o sienta que te estás poniendo de su parte, podrías añadir: «Yo os quiero a los dos. No quiero que ninguno de los dos me cuente lo que fue mal entre vosotros. Eso es asunto vuestro. Os quiero a los dos y siempre os querré. Así que, por favor, si tienes algún problema con mamá o papá, cuéntaselo a tus amigos o a tu familia, no a mí. Sigo siendo vuestro hijo. Por favor, permíteme ser neutral».

Puntos a recordar

✓ Los padres tienden a estar en desacuerdo con sus hijos adolescentes. Eso no conduce a un padre o una madre a irse de casa.

✓ Las personas que son infelices, incluidas aquellas cuyos matrimonios se han deteriorado, suelen pagar su infelicidad con los demás. Además, al ser infelices, serán más críticas, estarán más enojadas y se enfadarán con más facilidad. El grado de enojo que mostrarán será, en proporción, mayor que el incidente ante el cual están reaccionando.

- ✓ En un matrimonio sólido, la falta de dinero o las diferencias en cuanto a la educación de los hijos no terminará en un divorcio. En un matrimonio frágil, incluso a pesar de que no se tengan problemas económicos o diferencias sobre el cuidado de los hijos, es probable que otras cuestiones salgan a la superficie y causen problemas.
- ✓ No es culpa tuya que uno de tus padres se marche de casa, por muy descontento o descontenta que estuviera contigo antes de irse.
- ✓ A veces un divorcio puede coger por sorpresa a los hijos. Los padres pueden pasarse años peleándose y luego pedir repentinamente el divorcio o no parecer que se hayan peleado jamás y llegar un día y decir que se divorcian. (Y luego, claro está, están los padres que se pelean más con el tiempo y, sin embargo, los hijos no piensan que el problema sea tan grave, hasta que los padres anuncian su separación.)
- ✓ Si últimamente tu padre o tu madre parece estar más enfadado o enfadada contigo, es muy probable que se deba a que las cosas no van bien en su matrimonio y que, por lo tanto, no esté contento o contenta con nada.

- ✓ La razón por la que el matrimonio de tus padres ha fracasado es asunto suyo, y a ti no te interesa que ninguno de los dos te hable mal del otro.

3. Tu zona de consuelo

Desde que los padres de Bethany le dijeron que iban a divorciarse, nada parecía ir bien en su vida. Ni siquiera se alegró de que la escogieran para ser la líder del equipo de animadoras. ¡Se había esforzado tanto para conseguirlo y lo había deseado tantísimo! Sin embargo, ahora que el puesto era suyo, ya no significaba lo mismo para ella.

Sus emociones oscilaban, cual péndulo, entre la tristeza y la ira, aunque nunca compartió nada de esto con sus compañeros del colegio, a excepción de sus dos mejores amigas. Intentaba poner buena cara, pero aún así, a todo el mundo le resultaba obvio que a Bethany le preocupaba algo. No obstante, Bethany se negaba a hablar del tema.

En casa sí quería hablar de ello, pero su madre no quería y su padre, aunque todavía no se había ido de casa, ya casi nunca paraba en ella. Ahora dormía en la habitación de invitados y trabajaba hasta tarde casi todas las noches, cenaba en el centro y volvía a casa justo a la hora de irse a dormir. Apenas le dirigía la palabra a la madre de Bethany y tampoco estaba por allí lo suficiente como para hablar mucho con Bethany. Pronto, decía, se iría de casa definitivamente.

Lo principal que Bethany quería preguntarle, y lo hizo en las pocas ocasiones que tuvo de hablar con él, era: «¿Por qué nos estás haciendo esto?». Bethany le hizo la misma pregunta a su madre, pero lo único que consiguió fue que su madre se enfadara con ella.

Antes, cuando a Bethany le preocupaba algo podía acudir a su madre en busca de apoyo o consejo y ahora que le estaba pasando algo tan grave, lo peor que le había pasado hasta entonces, ¡su madre no le servía para nada! No quería hablar de ello y se impacientaba con Bethany por sacarlo a colación.

—No te lo hacemos a ti –era lo único que estaba dispuesta a decir–. Esto es entre tu padre y yo.

¡Pero no era así! No era solamente algo entre su padre y su madre. ¿Es que no veían lo que ese divorcio le estaba haciendo a ella? ¿No se daban cuenta de que la familia entera se había hecho pedazos? ¿No veían que todo cambiaba y que nada era igual que antes?

Lo peor de todo, quizá, era esa sensación que tenía dentro. Tras pensar detenidamente en ello, consiguió expresarla con palabras: siempre había sentido que lo único con lo que podía contar era su familia. Eso era lo único que nunca cambiaría, pasara lo que pasase en su mundo, y ahora ya no era así. Ahora, incluso su familia se estaba desmoronando. ¿Con quién iba a poder contar entonces?

Bethany no sabía quién quería el divorcio, si su madre, su padre o los dos, pero le echaba la culpa a ambos. ¡No era justo! ¡Estaban desgarrando la familia! ¡Todo estaba cambiando! No le gustaba... no podía hablar de ello con nadie... y no sabía qué hacer para sentirse mejor.

* * *

Cuando necesitamos sentirnos más seguros, casi todos hacemos algo determinado. Algunas personas llaman a un amigo. Otras se ponen su bata o jersey favorito. Algunas se retiran a un lugar especial (un lago, un parque, un árbol, una habitación o una silla). A otras les gusta tomarse un tazón de leche caliente con cereales, o de helado. Muchos niños pequeños tienen peluches, muñecos u otras cosas que les resultan especialmente familiares y les reconfortan.

Si eres chica y tienes una colección de peluches, puede que a tu edad disfrutes sólo con observar a las lindas criaturitas peludas. Dudo que dediques mucho tiempo a abrazar a los osos o perros, y si a veces lo haces, estoy segura de que a tu edad el oso de peluche te reconfortará sólo hasta cierto punto. Aunque puede que te sorprenda oír que la Cruz Roja reparte pequeños osos de peluche en refugios para víctimas de catástrofes y también son muy populares entre los adultos en momentos de mucha tensión.

Afortunadamente, existen formas para una persona de tu edad de hallar consuelo en los momentos turbulentos que rodean el divorcio de sus padres. Así que echemos un vistazo, ahora que lo necesitas más que nunca, a dónde acudir para hallar dicho consuelo.

A tu padre y a tu madre seguramente no. Puede que ahora estén demasiado inmersos en su propia situación. Además, es probable que estés un poco enfadado o enfadada con ellos por divorciarse. Si no hubieran decidido divorciarse, tú no estarías en el estado de confusión, tristeza y enfado en el que te hallas. (Sin embargo, como ya hemos discutido antes, a ellos también les duele y no se divorcian para herirte. Por lo menos uno de ellos, o los dos, sintió que el divorcio era necesario. No obstante, a ti aún te duele y, lógico o no, puede que aún estés un poco irritado o irritada con uno de los dos, o incluso con ambos.)

Los animales de compañía pueden llegar a ser una gran fuente de consuelo en los momentos duros. Abraza a tu perro o a tu gato. Siente su caricia peluda. Incluso puedes hablarle; ¡ya sabes que puedes decirle **cualquier cosa** sin temor a que se chive!

Más importante aún: habla con tus amigos. Seguramente alguno de ellos habrá pasado por lo mismo que tú y podrá darte algún que otro consejo. Pero tanto si tienen algún consejo que darte como si no, ten por seguro que te escucharán con comprensión y te permitirán desahogarte, es decir, sacar al exterior todos esos sentimientos de tristeza, rabia, confusión, conmoción y demás tornados emocionales que giran dentro de ti.

También puedes obtener consuelo y/o consejo de otras fuentes. Puedes hablar con familiares cercanos, vecinos con los que tengas amistad, cualquier amigo o amiga de tus padres en el que confíes especialmente y, por supuesto, con profesionales tales como terapeutas, clérigos, líderes religiosos juveniles o el consejero o psicólogo de tu colegio.

No te muestres reacio o reacia a contarle a tus amigos lo que sucede en tu vida. No es nada de lo que tengas que avergonzarte. Recuerda que no es en absoluto culpa tuya que tus padres se divorcien y, además, un divorcio es algo que sucede muy a menudo. Muchas familias pasan por ello. (Algunas estadísticas dicen que la mitad de matrimonios terminan en divorcio; una triste estadística, si es cierta, ¡que sin embargo te garantiza que tendrás mucha compañía!) Apuesto a que tienes una serie de amigos cuyos padres están divorciados o que, en el caso de que ahora hayan vuelto a casarse, lo estuvieron en su momento. Tú no eres un caso raro, extraño o diferente y tus padres tampoco lo son. Así que habla con tus amigos. Apóyate en ellos. ¡Para eso están los amigos! Desahógate con ellos... o pídeles que hagan algo agradable contigo para que puedas evadirte de tu situación familiar durante un rato y sacar tu estado de ánimo del agujero en el que está enterrado.

Si tienes novio o novia, puedes hablar con él o con ella como lo harías con tus amigos. Sin embargo, si no tienes pareja, puede que éste no sea el mejor momento para empezar esa clase de relación. Con todo lo que estás pasando y el embrollo emocional que tienes, te resultará difícil evaluar cuánto de lo que sientes por esa persona es real y cuánto es sólo necesidad, gratitud o una forma de «cobijarte» de la tormenta familiar.

Cuando tus emociones están en llamas y tu mundo está desapareciendo bajo tus pies, es fácil aferrarse a lo que parece una relación agradable con alguien que parece preocuparse de verdad por ti. No obstante, ésa no es la base más recomendable para una relación sólida y éste no es el mejor momento para confiar en tus propias emociones. Es mejor contar con tus amigos o con la pareja que ya tienes. (¡Y que **no se te ocurra** irte de casa para formar tu propio hogar con tu último ligue! ¡Ésa es la receta de un fracaso en toda regla y puede que de **otro** divorcio en tu vida!)

También existen otras formas de consuelo. ¿Qué hay de tu música favorita? Es algo más que un ruido de fondo, que un ritmo para bailar o que una colección de discos compactos o MP3. La música puede conectar con tus emociones, relajar los nervios crispados y ser de gran consuelo para ti.

Sumérgete en tu libro favorito. No sólo es bueno leer libros como éste para obtener ayuda específica, sino que también lo es leer libros por pura diversión. Tanto si vuelves a leer tu novela favorita y te pierdes en sus conocidas páginas y su interesante argumento como si te lees un libro de humor y te ríes a carcajada, y olvidas temporalmente tus problemas, leer puede ser muy beneficioso para ti. (Consejo: ahondar en los estudios podría ayudarte a mantenerte ocupado u ocupada y apartar tu atención de tus problemas. ¡Y no le hará ningún daño a tus notas!)

Cualquier cosa que te resulte familiar puede servir de consuelo. No sólo tu novela favorita, sino también tu videojuego o juego favorito, tu actividad o deporte preferido... lo que te proporcione el consuelo que nos ofrecen las cosas que nos resultan familiares. Te recuerdo que aunque los cimientos de tu familia se hayan hecho añicos, no **todo** ha cambiado. Todavía tienes tu ropa favorita, tus libros favoritos, tus juegos favoritos, tus amigos... y, si eres realista, todavía **tienes** a tus padres, y su amor, aunque uno de los dos ya no viva en casa.

Aprovéchate también del consuelo que te ofrece tu casa. Si permaneces en la misma casa o el mismo piso, busca la paz en tu vieja habitación. Puede que el salón ahora tenga una apariencia distinta. ¿Se llevó papá su sillón favorito cuando se fue de casa? Puede que la sala de estar parezca diferente. Quizá mamá, con la intención de empezar de nuevo, haya pintado las paredes de un color distinto o haya tapizado el sofá. Sin embargo, a menos que te hayas mudado de casa, tu habitación sigue siendo la misma y te recuerda que aunque algunas cosas cambien, otras siguen siendo las mismas.

¿Qué pasa si como resultado del divorcio te mudas de casa? ¿Qué pasa si mamá y tú os mudáis a una casa o un piso más pequeño? ¿Y si os vais a vivir a otra ciudad? ¿Y si te vas a vivir con papá? Entonces asegúrate de que das tu opinión acerca de cómo quieres que sea tu nueva habitación. Conviértela en un lugar tan cómodo para ti como puedas.

Claro que tus deseos tienen un límite. Si quieres pintar las paredes de tu habitación de un azul profundo o un rosa brillante puede que tu madre o tu padre accedan. Si quieres ropa de cama y cortinas nuevas, habrá que ver si el gasto cabe dentro del presupuesto familiar. Si lo que quieres es simplemente colocar los muebles de forma distinta o comprar algunos pósteres nuevos para colgarlos en la pared, es probable que no haya ningún problema. Aunque si compartes la habitación con un hermano o hermana, tendrás que tener en cuenta sus preferencias y deseos.

Sobre todo, consuélate con saber que todavía sois una familia, viváis juntos o no. Mamá y papá ya no son pareja pero estén o no casados, siguen siendo tus padres. Y aunque tu padre o tu madre se vaya a vivir a otra ciudad y no os veais muy a menudo, seguís siendo una familia.

Incluso a pesar de que tus padres ya no se quieran, a ti sí **te siguen queriendo, y siempre lo harán**. (De hecho, también es posible que ellos todavía se quieran pero se hayan dado cuenta de que ya no pueden seguir viviendo juntos en paz y armonía.)

Aunque tu madre se vaya de la ciudad y tú la veas sólo un par de veces al año y el resto del tiempo te tengas que contentar con comunicarte con ella por teléfono y a través del correo electrónico, ella sigue siendo tu madre. Aunque en el futuro papá se case con otra mujer, seguirá siendo tu padre. Aunque la otra mujer tenga hijos y papá herede una familia nueva al casarse con ella, seguirá siendo tu padre.

Él siempre será tu padre y tu madre siempre será tu madre y siempre te querrán.

Ellos te quieren porque son tus padres y es natural que los padres quieran a sus hijos. Además, te quieren porque, como discutimos ya en el capítulo dos y vale la pena repetir, el divorcio no se produjo por culpa tuya... da igual lo enfadados que parecieran estar tus padres contigo en el momento de la ruptura.

Tus padres siguen siendo tus padres y tus hermanos y/o hermanas siguen siendo tus hermanos y hermanas, tanto si vivís todos juntos como si tu hermana vive con tu madre y tú con tu padre. No importa quién viva con quién, ellos siguen siendo tus hermanos y hermanas (incluso aunque haya veces en las que tu hermano sea un peñazo y desees que no sea tu hermano).

Entretanto, aquí estás tú con esta mezcla de emociones, probablemente rabia y/o tristeza en su gran mayoría, preguntándote qué hacer con ellas.

He aquí unas cuantas formas de exteriorizar esa rabia momentáneamente: golpea una almohada (golpéala tan fuerte como puedas con el puño o sacúdela con una raqueta de tenis); lanza una pelota de baloncesto con fuerza (bótala en el suelo o apunta al tablero, sin tener en cuenta la canasta, y lánzala con toda tu fuerza). Batea una pelota de béisbol (llévate el bate y la pelota a un campo abierto, un solar vacío, un campo de béisbol en desuso o cualquier otro lugar que pueda resultar adecuado, lanza la pelota al aire y dale con todas tus ganas o consigue que un amigo comprensivo te la lance. Corre tras la pelota después de batearla. **Corre** de verdad. Cúbrete de barro persiguiéndola. Pisa fuerte en el suelo y corre rápido.); haz gimnasia o cualquier otro tipo de ejercicio enérgico; corre alrededor del bloque de pisos; si dispones de un lugar privado donde nadie más pueda oírte (quizá incluso lo puedas hacer en casa cuando estés solo o sola) grita; grita tan fuerte como puedas, y si no puedes gritar, canta todo lo que tus pulmones te permitan (pero no hagas nada que pueda conducir a los vecinos a pensar que estás en problemas. ¡Seguro que no querrás que la policía te haga una visita para ver quién te está pegando!).

Casi todas las clases de ejercicio pueden ser útiles. Para empezar, hacer ejercicio es ya de por sí una actividad sana, pero en este caso te ayudará además a exteriorizar temporalmente parte de tu rabia. Camina, corre, encesta unas cuantas canastas, nada, monta en bici, es decir, haz cualquier clase de ejercicio que te guste. (Éste no es el momento, sin embargo, para deportes extremos. En tu estado mental podrías sentirte tentado a correr riesgos innecesarios con el temerario monopatín u otras actividades potencialmente peligrosas.)

Las acciones que he sugerido son buenas para la liberación **temporal** de energía negativa. Sin embargo, si ya hace más de dos semanas que estás reprimiendo tu ira, habla de ello con el consejero de tu colegio o con un clérigo (¡pero no permitas que nadie te diga que es un **pecado**! La ira es algo muy normal y muy humano). La ira a largo plazo no es sana y necesitas ayuda para enfrentarte a ella de la forma adecuada.

¿Qué sucede si estás experimentando más tristeza que rabia? Llora. No significa que seas un bebé. Llora tanto si eres chica como si eres chico. Y si necesitas ayuda para que se te salten las lágrimas, alquila una película con un final bien tristón, ve una película con final feliz o, mejor aún, coge una de risa que te levante el ánimo aunque sólo sea durante un rato. Otra forma de enfrentarte a tu tristeza es escribir sobre ella en ese diario que te sugerí que empezaras a escribir en la introducción a este libro. Aunque si eres creativo o creativa, también puedes escribir una historia sobre un niño o una niña cuyos padres se han divorciado, un poema acerca de tus sentimientos o incluso una obra de teatro.

* * *

Los padres de Danny le dijeron no hace mucho que se estaban divorciando. A Danny no le sorprendió del todo. Sus padres se habían estado peleando bastante durante los últimos meses y él se había preguntado cómo podían seguir casados, cómo podían seguir queriéndose y pelearse del modo en que lo hacían.

Danny habló con su padre acerca del divorcio. «No voy a entrar en las razones por las que nos divorciamos», le dijo su padre. «Eso es algo entre mamá y yo. Digamos que ya no podemos seguir viviendo juntos y dejémoslo así, pero aparte de eso puedes preguntarme cualquier otra cosa que quieras saber o simplemente hablar conmigo. Suéltalo todo. Te sentirás mejor.»

Danny habló con su padre pero descubrió que le iba mejor hablar con sus amigos. Los padres de su mejor amigo seguían casados, pero otro chico, Zac, con quien también se lleva bastante bien, había pasado por el divorcio de sus padres aproximadamente un año y medio antes. Cuando Danny le contó a Zac cómo se sentía y lo enfadado que estaba con sus padres por separarse, Zac entendió muy bien de lo que estaba hablando Danny, de lo que sentía y por qué, y le ofreció unos cuantos consejos bastante buenos así como las respuestas a muchas de las preguntas de Danny.

Pronto Danny empezó a pasar más tiempo con Zac que con ningún otro de sus amigos y siempre iba a su casa en vez de invitarlo a la suya. Zac lo entendía. «Tu casa no es el lugar más apropiado para ti ahora mismo, ¿no es cierto?», le preguntó. Danny incluso se quedaba a dormir en casa de su amigo una o dos veces por semana.

Danny no era lo que se dice un chico atlético, pero Zac le llevó a jugar al fútbol con él. Correr de un lado a otro en el campo vacío que había cerca de donde vivía Zac, luchar uno contra otro por hacerse con la pelota, ayudó a Danny a sacar al exterior parte de la rabia que llevaba dentro. Zac estaba en el equipo de lucha libre del colegio y enseñó a Danny algunos movimientos. Los dos chicos lucharon sobre colchonetas en el sótano de la casa de Zac y el agotamiento físico también fue beneficioso para Danny.

Un día Zac llamó y le dijo a Danny que se encontrara con él en casa de su tío en la calle Elm. Danny sabía a qué lugar se refería Zac. Allí había un viejo cobertizo que el tío de Zac estaba pensando en derribar. Cuando llegó descubrió que Zac había llevado una caja de clavos y un martillo.

—¿Qué vas a hacer? –preguntó Danny, totalmente desconcertado.

—No voy a hacer nada. Tú vas a clavar estos clavos en esa pared –contestó Zac.

—¿Por qué? –preguntó Danny–. ¿No va tu tío a derribar esto de todos modos?

—Tú hazlo –dijo Zac.

Danny cogió un clavo, le dio un pequeño golpecito para introducir la punta del clavo en la madera y luego golpeó suavemente la cabeza del clavo con el martillo.

—No. ¡Dale tan fuerte como puedas! –le dijo Zac.

—¿De qué va esto? –preguntó Danny con recelo.

—Tú hazlo –volvió a decir Zac.

Así que Danny levantó el brazo hacia atrás y golpeó el clavo con el martillo con toda su fuerza.

—Bien. ¡Otra vez! –dijo Zac.

Danny aporreó el martillo una y otra vez.

—¡Hazlo! ¡Dale a ese clavo! ¡Dale! –gritó Zac.

Danny martilleó los clavos de veras... y para entonces ya iba por el cuarto. ¡Pum! ¡Pum! ¡Pum! ¡Pum!

Después de unos diez clavos, Danny empezó a flaquear. Estaba cansado pero era un cansancio distinto. Últimamente, a veces, desde que sus padres le habían dicho que se iban a divorciar, Danny había sentido que ya nada le importaba. No le importaba nada en absoluto y se sentía tremendamente cansado. Sin embargo ésta era otra clase de cansancio; era un cansancio bueno, un cansancio sano.

—Vale, vámonos –dijo Zac.

—Y ahora, ¿adónde vamos?

—Al cine Central. Echan una comedia verdaderamente tonta. Es justo lo que necesitas.

—Últimamente nada es divertido.

—¿Te ha hecho sentirte mejor darle martillazos a esos clavos? –le preguntó Zac.

—Sí –respondió Danny–. ¿Cómo sabías tú eso?

—Mi padre me llevó a clavar clavos un día que yo estaba enfadado por algo. Después de hacerlo me sentí mejor. Pensé que a ti también te serviría y ya sabes lo pesado que se pone el entrenador Morgan con lo bueno que es hacer ejercicio. Puede que esto no sea lo que él tenía pensado... pero funciona, ¿no es cierto? Y venga, vamos al cine.

Zac tenía razón. Por el momento, Danny había eliminado parte de su ira golpeando clavos con el martillo y estaba en mejor situación para reírse de algo. Además, la película era realmente tonta y divertida. Durante el rato que estuvo sentado en la sala, Danny se rió de la película y olvidó sus problemas.

Cuando salieron del cine, Danny volvió a la realidad, pero por lo menos había descansado y dejado de pensar en sus problemas durante un rato. Se había reído mucho durante la película y ya no estaba tan enfadado. Lo de dar golpes con el martillo le había ayudado. Regresó a casa sintiéndose mejor de lo que se había sentido en mucho tiempo y decidió que al día siguiente hablaría con el entrenador acerca de su ira.

* * *

Puntos a recordar

- ✓ Antes del divorcio es probable que te sintieras cómodo o cómoda en casa y que pensaras que podías hablar con tus padres cuando algo te preocupaba. Ahora el problema son tus padres. Así que es duro saber dónde acudir para hallar el consuelo que necesitas.
- ✓ Hay muchas personas que pueden ser una fuente de consuelo y consejo para ti en estos momentos.
- ✓ No tienes por qué avergonzarte de la situación familiar. Hay muchos matrimonios que se divorcian ¡y el hecho de que tus padres estén divorciados no es ni mucho menos culpa tuya!
- ✓ Ahora no es el mejor momento de embarcarte en una nueva relación amorosa.
- ✓ También existen otras fuentes de consuelo: música, libros, animales de compañía, actividades favoritas, lugares especiales...
- ✓ Las cosas viejas que te resultan familiares también pueden proporcionarte consuelo.
- ✓ Aún tienes a tus padres y su amor, a pesar de que uno de los dos ya no viva contigo.

✓ El ejercicio es una buena forma de exteriorizar parte de tu ira y sentirte mejor durante un rato, pero si tu rabia dura más de una semana o dos, habla con un consejero o un adulto en el que confíes y pídele ayuda acerca de cómo enfrentarte a ella.

4. Una vida llena de cambios

Como si no fuera lo suficientemente duro ya que uno de tus padres no viva en casa, es probable que en tu vida se produzcan también otros cambios. ¿Cuáles son algunos de estos cambios?

Tú (o el tribunal de pleitos matrimoniales) podrías decidir que vas a vivir con tu padre o tu madre, o que vas a dividir el tiempo entre ambos.

Si tu madre (o tu padre) no trabajaba, es posible que ahora empiece a hacerlo.

Si tanto tu padre como tu madre trabajaban, quizá uno de los dos tenga que cambiar de trabajo, trabajar más horas o incluso buscar un segundo empleo por cuestiones económicas.

Es probable que haya menos dinero. Esto podría significar menos lujos como ir al cine, cenar fuera o comprar ropa que en realidad no necesitas (quizá te digan cosas como: «Ya no podemos permitirnos esas deportivas tan caras. Tendrás que contentarte con una marca más barata»).

Puede que te pidan que colabores más en casa ahora que sólo uno de tus padres vive en ella. Si, por ejemplo, tu padre se ha ido de casa, tu madre tendrá que hacerlo casi todo sola a menos que pueda asignarte alguna tarea a ti (o a tus hermanas o hermanos si no eres hijo o hija única). Quizá te pida que cortes el césped o pases el rastrillo, arregles cosas en casa, laves la ropa o los platos o prepares algo de comer.

Si mamá ha vuelto a trabajar después de haber sido ama de casa y cocinera jefe, es posible que descubras que, como ahora tiene menos tiempo para cocinar, las cenas son más simples y sencillas o que se cena comida para llevar o a domicilio con más frecuencia. (Estoy segura de que no te quejarás de que te ponga pizza o alitas de pollo, pero llegará un momento en que echarás de menos comer la lasaña o el pollo asado de mamá u otros platos especiales con la frecuencia de antes.)

Si tienes una hermana o hermano más pequeño, podría ser necesario contratar a alguien para que cuide de ella o de él durante el día. Esto podría suponer que Jimmy o Alicia ya no estén en casa de día o que la señora Miller se quede en tu casa para cuidar de Jimmy o Alicia mientras el resto estáis en el trabajo o en el colegio. Quizá hasta esté en casa cuando vuelvas del colegio.

Puede que tengas que irte a vivir a una casa o a un piso más pequeño y más barato. El precio del alquiler de un piso suele ser más económico que pagar la hipoteca de una casa. Además, en los bloques de pisos a veces hay un conserje que puede cambiar las bombillas y reparar grifos que gotean, y nunca tendrás que volver a preocuparte de quién cortará el césped. (¿Estás triste por perder tu jardín y la canasta de baloncesto del garaje? Puede que el cambio no sea tan malo. ¡Puedes estar agradecido o agradecida de que esas tareas no te toquen a ti!)

A veces los papeles del divorcio requieren que se venda la casa familiar y que los beneficios se repartan entre el padre y la madre. En ese caso también te tendrías que mudar a un piso, a otra casa (probablemente una más pequeña) o quizá incluso a casa de algún familiar. (¡Puede que sea divertido irte a vivir con la abuela o con tía Brenda durante un tiempo!)

Quizá tengas que acostumbrarte a ir a un colegio nuevo, hacer nuevos amigos y todo lo que implica mudarse a un barrio o una ciudad nueva. (La vida es dura a veces, ¿no es cierto?)

A lo mejor tu madre o tu padre y tú os mudáis a una zona totalmente distinta. Ahora que está solo, puede que papá quiera vivir más cerca del trabajo (que quizá esté en una ciudad cercana y no donde tú vives), que mamá quiera estar más cerca de su madre o que escojan ciudades en las que puedan encontrar empleos mejor pagados.

Claro que el mayor cambio de todos es que uno de tus padres ya no viva contigo. ¡Te va a resultar raro ir a **visitar** a tu **padre** o a tu **madre**! Uno no va a visitar a sus padres. ¡Los padres viven en casa! Bueno, pues ya no. Visitar a tu padre o a tu madre los sábados o domingos, un fin de semana de cada dos o varios meses al año, depende de lo que se haya acordado, significará que por lo menos tendrán que cambiar un par de cosas en tu vida. Primero, uno de tus padres no estará ahí contigo todo el tiempo (siempre que quieras pedirle consejo, por ejemplo). Puede que necesites ayuda con los deberes de historia y el padre que sobresalía en inglés y francés no pueda recordar en qué año tuvo lugar la guerra de 1812 o quizá sea simplemente un momento especial en el que quieras hablar con el padre que ya no está cerca. Por supuesto que puedes llamarle por teléfono o enviarle un correo electrónico pero no es lo mismo. Si solías salir por ahí con los amigos los fines de semana, es posible que tengas que decirles cosas como: «Lo siento, pero estaré en casa de mi padre el domingo» o «Lo siento, pero este fin de semana lo paso con mi madre». (Aunque puede que te permitan recibir visitas de tus amigos en casa de papá o mamá, dependiendo de lo lejos que os hayáis ido a vivir.)

Quizá tu padre o tu madre se vayan de la ciudad, y no me refiero a irse a la ciudad más cercana o a las afueras o, si ya vivís en las afueras, al barrio de al lado, sino fuera de la ciudad. Supón, por ejemplo, que vives en Chicago. En ese caso tu padre podría irse a vivir a Seattle. Y si vives en Phoenix, tu madre podría mudarse a Atlanta. Ahora sí te haces una idea, ¿no es cierto? Tu papá podría convertirse en un «papá fuera de la ciudad», es decir, un padre al que sólo ves durante las vacaciones de Navidad, Semana Santa y verano. Algunos padres intentan reducir al mínimo las mudanzas y demás cambios pero, como ya hemos comentado, ¡la vida no siempre es justa! ¡Cuando tus padres se divorcian, cambian muchas cosas en tu vida!

Puntos a recordar

- ✓ El divorcio suele dar lugar a muchos otros cambios en tu vida además de la ruptura del matrimonio de tus padres.
- ✓ Uno de esos cambios consiste en que el padre con el que vives tiene menos dinero que antes.
- ✓ Es obvio que uno de tus padres ya no vivirá contigo en la misma casa y, aunque lo más probable es que viva cerca de ti, también es posible que tenga que mudarse a otra ciudad y puede que esa ciudad esté lejos.
- ✓ Quizá tengas que mudarte y cambiar de colegio, hacer nuevos amigos, encontrar actividades nuevas y hacer otra clase de modificaciones.

5. El tiempo que pasas con tus padres: custodias y visitas

Puede que tus padres acaben de anunciar que tienen intención de divorciarse, que ya vivan separados pero todavía no se haya celebrado la vista de divorcio o que ya estén divorciados. Si ya están divorciados, ya sabes si vas a vivir con tu padre o con tu madre. Sin embargo, por si acaso todavía no sabes con quién vas a vivir, vamos a hablar un poco de ello antes de pasar a hablar del tiempo que pasarás con aquel con el que no vivas.

La «custodia» es un concepto legal bastante complejo que los tribunales de pleitos matrimoniales utilizan para decidir cómo se repartirán los padres la responsabilidad de cuidar de los hijos tras el divorcio. Un tribunal tiene varias formas de dictar una orden de custodia, pero en la mayoría de los casos se requiere que pases tiempo con ambos padres. Es probable que mayormente se acuerde que vivas con uno de tus padres, lo que se conoce como «custodia principal», y que de vez en cuando pases cortos períodos de tiempo con el otro, conocido como «visitas», aunque el término ya casi no se usa. Actualmente es más común la «custodia compartida».

Si tus padres viven cerca de tu colegio, es posible que vivas la mitad del tiempo con uno y la otra mitad con el otro o que vivas en casa de tu madre durante la semana y en casa de tu padre los fines de semana. Un acuerdo muy común consiste en dos fines de semana al mes, un sábado (o domingo) adicional y unas cuantas horas después del colegio todos los miércoles. Algunas familias acuerdan que los hijos vivan con la madre durante el curso escolar y con el padre durante las vacaciones, pero existen muchos otros posibles acuerdos. Hay muchas formas de fijar un plan para cuidar de los hijos. Es importante, sin embargo, que le digas a tus padres y al juez lo que **a ti** te gustaría mientras se están tomando las decisiones.

Aunque a muchos padres, y a la mayoría de hijos, les gustaría poder idear una especie de horario «a partes iguales», en la vida real no suele ser posible dividir el tiempo justo por la mitad. Se producirán negociaciones para establecer un horario que le vaya bien a todo el mundo, teniendo en cuenta los horarios de trabajo de tus padres, lo lejos que viven el uno del otro, tus horarios de clase, tus actividades extraescolares y otros factores. Puede que en el momento no lo parezca, pero el tribunal debe tener en cuenta **lo que más te conviene** al tomar esas decisiones. Todo el mundo tendrá que sacrificar algo para hacer que esto funcione, así que no dudes en dar a conocer tus deseos pero acepta el fallo del juez, sea cual sea. Aunque lo hecho, hecho esté y no sea exactamente lo que querías, puedes hacer que funcione, y quejarse no cambiará las cosas.

¿Dónde vivirás?

En la mayoría de los casos los hijos viven con la madre, pero a veces es el padre el que proporciona el hogar principal a uno o a todos los hijos.

El juez podría decidir que las hijas vivan con la madre y los chicos con el padre.

Si el padre trabaja desde casa y la madre fuera de ella, es posible que los padres acuerden, o que el juez decida, que es mejor que el padre tenga la custodia principal.

Si la madre estudia de noche y trabaja durante el día, o tiene intención de hacerlo, puede que se decida que los hijos vivan con el padre, por lo menos hasta que la madre haya terminado los estudios y pueda pasar más tiempo en casa.

Es posible que el padre quiera la custodia de los hijos y la madre acceda por una serie de razones.

En ocasiones, el juez escuchará los deseos de un hijo o una hija que sea lo suficientemente mayor como para que su opinión se tenga en cuenta. Si estás en el instituto, quizá incluso aunque seas menor de dieciséis años, existe la posibilidad de que el juez tenga en cuenta tus deseos, especialmente si puedes dar una razón en particular por la que preferirías vivir con uno de tus padres. (En algunos estados, por ejemplo, los jueces tienen que tener en consideración las preferencias del menor –allí los tribunales lo llaman «la debida importancia».)

Habla con el padre con el que prefieres vivir. Pregúntale si estaría de acuerdo. Si eres chica puede que tu padre piense que estarías mejor con tu madre porque ella está en mejor situación de ayudarte con algunas de las cuestiones que surgirán a medida que vayas creciendo; y lo mismo puede suceder en el caso contrario. Quizá el padre con el que preferirías vivir esté pensando en buscar un segundo empleo y no vaya a estar mucho en casa, o haya escogido ya un nuevo lugar donde vivir y ese lugar sólo tenga una habitación. Existen muchas razones por las que un padre o una madre, a pesar de quererte mucho, puede pensar que no es una buena idea que te vayas a vivir con él o con ella.

Si ambos padres están de acuerdo en que vivas con el padre que tú hayas escogido, es muy probable que el juez también esté de acuerdo. Si tus padres no están de acuerdo, puedes pedir estar presente en la vista de divorcio o reunirte a solas con el juez para que puedas exponer tus razones para querer vivir con tu padre o con tu madre. Lleva contigo una lista y prepárate para intentar persuadir al juez. Intenta pensar en alguna razón mejor que «Mamá es demasiado estricta», «Quiero más a papá», «La casa de mamá está más cerca del colegio, de mi mejor amigo, del centro comercial» o «Papá no me dejará ver mis programas de la tele favoritos». (Pero sé honesto u honesta: no te inventes las razones.) En tu caso, ¿es verdad algo de lo siguiente?

Mamá se enfada y a veces me da bofetadas. Papá nunca lo hace.

Mis creencias religiosas se parecen más a las de mamá que a las de papá.

Mamá espera que me comporte como una persona adulta cuando papá no está en casa, pero todavía soy sólo un niño o una niña. Me siento presionado o presionada a crecer.

Si vivo con papá, tendré que ponerme a trabajar porque él no puede permitirse pagar mis clases de trompeta ni la cuota del equipo de natación.

Mamá se pasa el tiempo trabajando y nunca puede llevarme a los entrenamientos de fútbol o venir a verme jugar en los partidos.

Quizá tus padres y el juez acuerden que la custodia sea compartida y que vivas la mitad de la semana con uno de tus padres y la otra mitad con el otro o una semana con cada uno. (Esto funciona mejor cuando ambos padres viven en el mismo distrito escolar pero tampoco es imposible si no es así.) Como ya he mencionado antes, esto rara vez resulta en una división «exacta» de tu tiempo.

Tanto si acabas viviendo con tu padre como con tu madre tras el divorcio, probablemente podrás ver al otro bastante a menudo a menos que tu madre y tu padre acaben viviendo en ciudades muy distantes. (Afortunadamente, no suele ocurrir muy a menudo, pero ocurre. Existen razones por las que uno u otro de los padres puede considerar necesario irse a vivir lejos. Este tema lo discutiremos en el próximo capítulo.)

Visitar al padre

Sea cual sea el padre con el que no vivas habitualmente, él o ella tendrá derecho a verte en determinados días. Si tus padres se llevan razonablemente bien tras el divorcio, son capaces de hablar sin pelearse y están dispuestos a cooperar, pueden acordar entre ellos más visitas de las establecidas por la sentencia de divorcio. Puede que tu padre quiera verte una noche más o un día más del fin de semana.

Quizá el fin de semana que tienes que ir a ver a tu padre es el cumpleaños de tu abuela (tu abuela por parte de madre) o puede que justo el fin de semana que tenías que pasar en casa con tu madre, tu tío (por parte de padre) haya venido a visitaros. Si tus padres mantienen una buena comunicación, pueden llegar a un acuerdo en cuanto a intercambiar los días de visita.

¡Te va a resultar raro ir a **visitar** a tu padre! Quizá incluso te resulte un poco extraño y forzado hablar con él. Esto sucede por diversas razones. En primer lugar, la situación en sí es incómoda y rara: ir a visitar a tu padre, que debería vivir en tu casa, y verle en un entorno extraño. Esta situación puede desanimarte y hacer que te sientas fuera de lugar.

¿De qué hablaréis?

La idea de hablar con tu padre a unas horas determinadas te resulta extraña. Estabas acostumbrado o acostumbrada a tenerle en casa (por lo menos durante gran parte del tiempo, cuando no estaba trabajando, jugando a los bolos o había salido con sus amigos). Estabas acostumbrado a que estuviera ahí siempre que necesitaras hablar con él y no tenías por qué hablarle cuando no había nada que decir o no tenías ganas de hablar.

Ahora estáis juntos durante un tiempo determinado, ya sean cuatro horas o dos días, y se supone que tú tienes que sentarte y mantener una conversación con él. Ahora es hora de poneros al día acerca de lo que ha ido ocurriendo en vuestras vidas, de recuperar el tiempo que tu padre y tú no habéis pasado bajo el mismo techo y meter todas las novedades de los últimos días o semanas en una conversación forzada.

Muchos de los chicos que se encuentran en esa situación piensan que no tienen nada de que hablar.

Si eres chica, las visitas a tu padre pueden llegar a incomodarte aún más. Algunas de las cosas que te ocurren son cosas que no te resultaría cómodo discutir con él. De la misma manera que hay cosas que algunos chicos no quieren hablar con sus madres. Añádele las cosas que tú no crees que puedan interesarle y las posibilidades de conversación se verán muy reducidas.

Aunque al principio pueda parecer que no tienes mucho de lo que hablar con el padre con el que no pasas la mayor parte del tiempo, ¡no te rindas tan fácilmente! Ten en cuenta que te estás convirtiendo en un adulto o adulta y que las cuestiones que suelen preocupar a los adultos te afectarán muy pronto, si no lo hacen ya.

He aquí unas cuantas sugerencias que pueden ayudarte a mantener viva una conversación cuando la situación se vuelve muy silenciosa o aburrida:

- 😐 **Libros/películas/programas de televisión**: ¿Has leído en los últimos días algún libro o artículo en alguna revista que fuera particularmente interesante? ¿Qué hay de una película o un programa de televisión favorito? ¿Crees que tus padres deberían seguir controlando y «censurando» las películas de cine o los programas de televisión que ves?

- 😐 **Música**: Si hay algo que suele separar a las generaciones es la música, pero ¿puedes mantener una conversación con tu padre o tu madre acerca de tu música favorita? Quizá puedas explicar lo que te gusta, no con la intención de hacer que «cambie de opinión», sino como forma de decirle quién eres. ¡Y no pases por alto la posibilidad de que te pueda gustar algo de lo que le gusta a él o a ella!

😐 **Dinero**: Si no dispones de tu propia cuenta bancaria, nunca has cuadrado un talonario de cheques o desconoces el valor del interés compuesto, deberías hablar de esos temas con tus padres para aprender todo lo que puedas antes de que tengas que valértelas por ti mismo/a. Las tarjetas de crédito, por ejemplo, pueden ser peligrosas en manos de un adolescente inexperto.

😐 **Universidad y carrera profesional**: ¿Has tomado ya alguna decisión con respecto a la universidad, es decir, dónde quieres ir y qué quieres estudiar? ¿Lo has hablado con tu madre y tu padre para que te den su opinión y su apoyo? ¿Trabajarás mientras estudias? ¿Sabes lo que te costará? ¿Te prepararás para las entrevistas de trabajo? ¿Podrían ellos ayudarte a hacer algunos contactos que aumenten tus posibilidades de encontrar empleo? ¿Y qué hay de sus trabajos? ¿No sería interesante averiguar lo que mamá y/o papá hace en el trabajo todo el día (o noche)?

😐 **Coches**: Si todavía no tienes tu propio coche, probablemente sea sólo una cuestión de tiempo. ¿Sabrías cómo seleccionar un coche? ¿Cómo cuidar de él cuando lo tengas? ¿El precio del seguro, mantenimiento, financiación, permiso de conducción? Tus padres ya han pasado por eso y podrían ayudarte si les sacas el tema.

😐 **Política**: ¿Se aproximan unas grandes elecciones? ¿Está la junta de parques y zonas recreativas considerando poner en marcha programas para jóvenes? ¿Se ha recortado el presupuesto destinado a los colegios y ha aumentado en consecuencia el número de alumnos por clase? ¿Has tenido alguna desavenencia política con algún profesor?

😐 **Filosofía/religión/ética**: ¿Debaten los estudiantes en tu colegio el derecho a la vida frente al derecho a abortar? ¿Es la jura de lealtad algo importante en tu ciudad? ¿Qué piensas de lo de rezar en el colegio? ¿Te presionan algunos de tus compañeros de clase a ayudarles a copiar en los exámenes?

Y existen docenas de temas más: relaciones amorosas (sexo incluido), llevarse bien con hermanos o primos, tareas y mantenimiento de la casa (¡algún día tendrás tu propia casa!), cocinar (¿sabrás hacerte la comida cuando te vayas de casa?), aficiones, salud, animales de compañía... y la lista sigue. ¡Te sorprendería lo divertido que puede llegar a ser y lo mucho que puedes aprender en una de esas visitas!

Claro que tanto si eres chico como si eres chica y eres aficionado o aficionada a los deportes podréis hablar de cómo les va a vuestros equipos, pero lo que papá o mamá realmente quieren saber es qué tal te va a ti y en qué clase de persona te estás convirtiendo.

Quizá quieras seguir el consejo de los invitados a los programas de entrevistas de televisión y llevar preparada una lista de preguntas para tu padre o tu madre. Piensa en cosas que te gustaría preguntar a papá (o mamá) y apúntalas. Pueden ser preguntas sobre su nueva casa (la casa o el piso, la ciudad o municipio) o su trabajo, su infancia, su familia o cualquier otra cosa que desees saber. También puedes preparar una lista de temas generales de discusión sobre cosas que te interesen, ya sean coches o deportes, cocina o exploración, animales, coleccionismo de monedas o cualquier otro tema que hayamos mencionado anteriormente. Además, también puedes preparar una lista de cosas que le contarás a tu padre acerca de ti. En vez de contarle todas las novedades por teléfono, resérvate algo para contárselo cuando estéis juntos. (Las listas son para que te acuerdes de las cosas que quieres decirle, ¡no para que las leas!)

Y no olvides escucharle. Seguramente querrás saber qué tal le va a tu padre, aunque si está disfrutando verdaderamente de la paz y la tranquilidad de su propio apartamento después de tanto pelearse con mamá, es posible que no te guste oírle hablar de ello. Y, si ya lleva tiempo divorciado, ¡quizá tampoco quieras oírle hablar de las mujeres con las que ha salido! (De hecho no debería hablarte de eso a menos que tú se lo preguntes directamente o que haya conocido a alguien muy especial y piense que va a formar parte de su vida durante algún tiempo.)

Ponerte cómodo/a (Relajarte)

Cuando ya haga tiempo que tus padres se hayan divorciado (o por lo menos separado), estarás más acostumbrado o acostumbrada a ir a visitar a papá o a mamá a su casa. La idea de que uno de tus padres viva en otro lugar ya no te parecerá tan rara. La casa en sí te resultará familiar y a mamá ya no le parecerá tan importante que estés con ella a cada minuto, hablando o haciendo algo, cuando vayas a su casa.

A partir de ese momento entrarás en una rutina más agradable, es decir, que parte del tiempo que estés allí lo pasarás viendo la televisión, leyendo o haciendo los deberes, y podréis hablar sólo cuando uno de los dos crea que tiene algo que decir. No os sentaréis mirándoos el uno al otro, sabiendo que deberíais mantener una conversación pero incapaces, aun así, de pensar en algo de lo que hablar.

Para entonces, es posible que también empieces a recibir visitas de tus amigos en casa de mamá o papá. Piensa, sin embargo, que no deberías pasarte todo el fin de semana saliendo con tus amigos. ¡Estás ahí para ver a tu padre o a tu madre! Pero no pasa nada si un amigo o amiga quiere pasar unas horas contigo. En función de vuestras aficiones, es posible que incluso tu amigo o amiga y tú podáis hacer algo juntos con tu padre o tu madre: ir a un concierto o espectáculo, jugar al mini golf, ir a la bolera o encestar unas canastas, ir de excursión, hacer carreras de coches teledirigidos...

Lo mejor para que tu padre o tu madre no se sienta tan raro o rara y tú no te sientas fuera de lugar es que dispongas de un espacio propio. Lo ideal sería que tuvieras una habitación sólo para ti en la nueva casa o piso de tu padre o madre. A veces, sin embargo, eso no es posible.

Puede que tu padre (o madre) no pueda permitirse un piso de dos habitaciones o que se haya ido a vivir con un amigo o familiar. Quizá él y su nuevo compañero de piso tengan una habitación cada uno y no haya una tercera habitación. En esos casos es posible que tengas que dormir en un sofá-cama en el salón o en una cama supletoria en la habitación de tu padre. También es posible que si tu padre se ha mudado a casa de un amigo o familiar con hijos, tu cama esté en la habitación del hijo de su amigo. Las posibilidades son infinitas, unas buenas y otras no tan buenas.

Con suerte, aunque no tengas tu propia habitación en casa del padre que vas a visitar temporalmente, tendrás por lo menos una cama sólo para ti y un lugar donde guardar tus cosas como, por ejemplo, una cajonera y un armario, parte de un armario y dos o tres cajones de una cajonera o un armario pequeño. Sea cual sea el espacio que acordéis, el hecho de que lo tengas te indica que perteneces a ese lugar, que tienes o bien tu propia habitación o bien una zona sólo para ti, es decir, un espacio en la casa que es **tuyo**.

Puedes guardar cosas en tu habitación, tu cajonera o tus cajones. Puedes llevar videojuegos u otro tipo de juegos, libros, discos compactos o cualquier otra cosa que sea importante para ti, así como tu ropa, un cepillo de dientes y otras cosas de aseo a casa de tu padre o de tu madre y dejarlas allí para cuando tú te quedes. Esto reducirá la cantidad de cosas que tienes que llevar de un lado a otro y, lo que es más importante, te ayudará a sentir que has echado raíces ahí; te hará sentir que **perteneces** a ese lugar.

Si uno de tus padres se ha ido a vivir fuera de la ciudad, la situación será distinta. Imaginemos que vives con papá y visitas a mamá. Es probable que vayas a verla durante las vacaciones de Navidad y/o las de Semana Santa y parte del verano. Como no pasarás tiempo en su casa de forma regular, ésta te resultará extraña.

Si sois tu padre y tú los que os habéis ido y tu madre se ha quedado en tu ciudad natal, la **ciudad** por lo menos te resultará familiar, incluso aunque ella viva en otra casa. Si es tu madre la que se ha mudado mientras que tu padre y tú os habéis quedado, entonces la ciudad te resultará tan desconocida como la nueva casa de tu madre.

Si vuelves a tu ciudad natal para ver a tu madre, también querrás ver a tus amigos y, tras pasar algún tiempo con mamá, ella entenderá que quieras ir a visitarles. Sin embargo, si vas a verla a una nueva ciudad, es muy probable que no conozcas a nadie allí. (A menos que tu madre se haya ido a vivir a **su** ciudad natal, donde aún vive parte de su familia. En ese caso, visitar a mamá podría significar ver a la abuela y el abuelo, a la tía Liz, al tío Ralph, al primo Sean...)

Si tu madre vive en una ciudad nueva y no sabes mucho de ella, quizá lo pases bien cuando mamá te lleve a visitarla.

Viva donde viva mamá (o papá) cuando vayas a visitarla, el hecho de que tú te sientas cómodo o cómoda dependerá de los dos. Puedes poner de tu parte llevándote cosas para hacer de manera que no te aburras. Además, si sabes que es posible que al principio las visitas te resulten un tanto violentas, estarás preparado o preparada para ello y no te cogerá por sorpresa. ¡Pero recuerda que es posible que mamá se sienta tan rara como tú! Sí, es cierto. ¡Ella no está acostumbrada a que tú seas una visita en su casa! Al igual que tú, está acostumbrada a que ella y tú viváis bajo el mismo techo.

Cuando vas a pasar tiempo con un padre que vive a cierta distancia de donde tú vives, debes estar preparado o preparada para pasar algún tiempo a solas y llevar contigo cosas que disfrutes haciendo. Papá (o mamá) probablemente tendrán un televisor pero quizá no tengan ordenador, videoconsola, canasta de baloncesto (o pelota) o vecinos con hijos de tu edad. Mete en tu maleta cosas para entretenerte (libros, cartas, un reproductor de MP3, tu diario o una cámara) y no aburrirte.

Es posible que el padre que no tiene tu custodia viva a la vuelta de la esquina, en la otra punta de la ciudad o incluso en el otro extremo del continente. Hablaremos de esta posibilidad en el próximo capítulo.

Puntos a recordar

- ✓ Lo más frecuente en un caso de divorcio es que los niños vivan con la madre, pero también cabe la posibilidad de que vivan con el padre. A veces los dos padres consiguen que uno o más de sus hijos vivan con ellos, y algunos tribunales de pleitos matrimoniales conceden la custodia compartida de forma que los hijos viven la mitad del tiempo con el padre y la otra mitad con la madre.
- ✓ Uno de los padres podría irse a vivir fuera de la ciudad.
- ✓ Algunos jueces toman en consideración los deseos de los adolescentes que son lo sufi-

cientemente mayores y prefieren vivir con uno de sus padres.

- ✓ Existen muchas razones por las que un padre o madre puede pensar que no es una buena idea que te vayas a vivir con él o con ella, a pesar de que te quiera mucho.
- ✓ Puede resultar muy violento intentar hablar con el padre con el que no vives normalmente. La conversación podría no parecer natural, así que piensa en temas de los que podáis hablar cuando estéis juntos.
- ✓ La simple idea de «visitar a tu padre o madre» también te resultará un poco extraña al principio.
- ✓ Te ayudará tener tu propia habitación o por lo menos una cama, un armario y algunos cajones sólo para ti en casa del padre que no tiene la custodia.
- ✓ Pon de tu parte para sentirte cómodo o cómoda en casa de tu madre y de tu padre. Su función no es entretenerte y no sólo te lo pasarás mucho mejor, sino que vuestra relación será mucho más fluida... ¡si tú recorres la mitad del camino!

«¿Qué te cuentas, papá?»

Los padres de Paul se divorciaron cuando él tenía unos catorce años. Fue a primeros de noviembre y Paul pensó para sí mismo que no tenía nada por lo que estar agradecido en el día de Acción de Gracias. Al principio, cuando el padre de Paul se fue de casa, se mudó a un pequeño apartamento de alquiler donde vivió mientras la madre de Paul y él hacían todos los trámites legales necesarios para que les concedieran el divorcio. Después se quedó allí durante algún tiempo más hasta que anunció que le habían hecho una oferta de trabajo demasiado buena como para rechazarla. El único problema era que tenía que irse a Nueva York y Paul y su familia vivían en Illinois.

El padre de Paul se mudó a Nueva York y decidió quedarse en un hotel hasta que encontrara un apartamento. Sin embargo, llegaron las vacaciones de Navidad y el padre de Paul aún seguía viviendo en el hotel porque no había encontrado piso. Además, como se trataba de un trabajo nuevo, no podía tomarse días libres para pasarlos con Paul cuando éste fuera a visitarle y, por otra parte, Paul no tendría nada que hacer todo el día encerrado en el hotel. Además, para complicar aún más las cosas, las Navidades estaban tan cerca que ya no quedaban billetes de avión a precio razonable, así que Paul se quedó sin ver a su padre por Navidad.

No obstante, para cuando llegaron las vacaciones de Semana Santa, su padre vivía en un apartamento con jardín en Nueva Jersey. Cuando hablaban por teléfono, se lo describía a Paul. Sólo tenía una habitación pero el salón tenía forma de L y la parte más pequeña tenía una puerta corredera que se podía cerrar y convertirla en una zona privada. En ella había un futón que sería la cama de Paul. Aquella parte del salón sería su habitación cuando fuera a visitar a su padre. (¡Y encima era original!)

Al principio, Paul estaba ilusionado. ¡Por fin iba a volver a ver a su padre! ¡Y por fin también iba a visitar Nueva York! Siempre había querido ir a Nueva York. Su padre había prometido tomarse un día libre y llevarle a la ciudad los dos fines de semana que Paul iba a pasar allí. Quizá en una o dos ocasiones, papá llegaría a casa del trabajo, recogería a Paul y le llevaría a la ciudad a cenar, ver un espectáculo, visitar el barrio chino o algo parecido. ¡Había tantas cosas que hacer en Nueva York!

Paul llegó al aeropuerto Newark el viernes por la noche. Buscó nervioso a su padre entre la multitud. ¿Qué pasaría si su padre no estaba allí? ¿Y si se le había olvidado? ¿Y si había pinchado o estaba en un atasco? Paul no conocía a nadie ni en Nueva York ni en Nueva Jersey. ¡Pero allí estaba papá! Paul le vió y le saludó con el brazo. Incluso corrió hacia él y su padre le dio un fuerte abrazo, de hombre a hombre, estrujándole contra él y Paul hizo lo mismo.

Luego, sin ningún motivo, Paul se sintió incómodo. Le resultaba raro estar en aquel lugar con su padre. Su padre debería estar en casa... en casa de Paul. Aquél no era un lugar que Paul asociara con su padre.

—¿Qué tal el vuelo? –le preguntó su padre, y Paul, que sólo había viajado en avión un par de veces antes y nunca solo, empezó a hablar del vuelo y eso les hizo olvidar la incomodidad del principio.

Hablar del vuelo, de la zona por la que estaban pasando con el coche, del piso y de lo que iban a cenar les entretuvo por completo hasta que llegaron al apartamento. Una vez allí, Paul se quedó impresionado. Paul vivía en una casa y aunque había visto bloques de apartamentos anteriormente, eran diferentes a aquel lugar, que sólo tenía dos plantas de altura, no tenía ascensor, parecía más nuevo que los bloques de apartamentos que había en su ciudad y estaba rodeado de una zona verde con hierba, arbustos y flores.

Sin embargo, justo al llegar al apartamento de su padre Paul se quedó repentinamente sin palabras.

El sitio no tenía nada de malo. Estaba limpio y ordenado y tenía todo lo necesario, pero el trocito que iba a ser la habitación de Paul era muy pequeño y... bueno, en realidad el apartamento en sí era pequeño. No podía creer que ése fuera el hogar de su padre. Era minúsculo y no una casa de verdad como en la que siempre habían vivido. ¿Dónde estaban los muebles que tan familiares le resultaban? En fin, lo único que vio que pareciera pertenecer a su padre de verdad fue la taza que había en el escurridor. Decía EL MEJOR PADRE DEL MUNDO. Paul se la había regalado cinco años antes en el día del padre. A parte de aquella taza, no había nada más que Paul identificara como algo que perteneciera a su padre. ¡Cualquier extraño podría haber vivido allí!

—¿Por qué no sacas las cosas de la maleta y te pones cómodo? –sugirió su padre.

Pero Paul se sentía de todo menos cómodo. ¡Deseó poder dar media vuelta y regresar a casa!

—He pensado llevarte a cenar a un restaurante italiano que conozco..., pero si lo prefieres también podemos ir a un chino. Una de estas noches iremos al barrio chino en Nueva York ¡es auténtico! Pero si quieres cenar chino esta noche también..., aunque también hay un buen restaurante no muy lejos de

aquí... comida americana de la de siempre, pero buena. ¿Quizá preferirías...?

La voz de su padre se fue apagando y Paul se dio cuenta de que su padre se sentía tan incómodo como él, y eso que Paul se sentía incómodo de veras. De pronto ya no sabía qué decirle a su padre, ¡a su propio padre! Se sentía raro en ese apartamento. ¡Ésa no era la casa de su padre! La cosa fue de mal en peor cuando su padre dijo: «Es un poco pronto para cenar. Podemos hablar un rato antes de salir. ¿Cómo va todo por casa?».

Paul no sabía qué responder. ¿Que cómo iban las cosas por casa? ¿Debía hablarle de las noches que oía a su madre llorar tras la puerta cerrada de su habitación? ¡No! Aquello no estaba bien. ¿Debía decirle lo mucho que echaba de menos a su padre? No. Podría sonar bobo. ¿Debía hablarle de sus últimos tres exámenes del colegio? No. Ya se lo había contado por teléfono. También le había contado lo mal que se lo habían hecho pasar a la profesora suplente, que se había peleado con Ian en el colegio y que había ganado a Ron jugando con el videojuego con el que Ron vencía a todo el mundo. Le había contado a su padre... se lo había contado todo por teléfono. Ya no quedaba nada de lo que hablar, a excepción de lo que lloraba mamá, pero no estaba bien que le contara eso.

—Todo va bien –le dijo Paul, sin sentirlo de verdad pero sin saber qué más decir. Ambos permanecieron allí sentados, mirándose el uno al otro.

—Háblame del colegio –dijo su padre finalmente y, durante unos minutos, Paul le habló a su padre de unas cuantas cosas, pero... enseguida se le agotaron los cotilleos y una vez más volvieron a quedarse callados mirándose.

—¿Qué hay de nuevo, papá? –le preguntó Paul.

Su padre empezó a hablar de su trabajo, pero Paul no entendía algunas de las cosas de las que hablaba y en cierto modo era aburrido. Al final el padre de Paul dijo: «Bueno, supongo que ya podemos irnos a cenar» y Paul se sintió aliviado.

Fueron al restaurante italiano. Paul tomó manicotti *y compararon el* manicotti *de allí con el de casa. Por lo menos era algo de lo que hablar. El padre de Paul comió lasaña y habló de aprender a cocinarla. Hasta entonces nunca le había interesado aprender a preparar lasaña. Paul se preguntó quién se lo habría enseñado a papá. ¿Habría sido una mujer? Paul sabía que era posible que su padre saliera con alguna mujer pero pensar en ello le hizo sentirse muy incómodo... como si papá le estuviera siendo infiel a mamá. Paul sabía que su padre y su madre estaban divorciados, pero mamá no salía con otros hombres. ¡Papá, por lo tanto, tampoco debería estar saliendo con otras mujeres!*

Tras la cena volvieron a casa y fue entonces cuando la situación se volvió realmente incómoda. Se limitaron a sentarse y mirarse mientras intentaban pensar en qué decirse. A Paul no se le ocurría nada que no le hubiera contado ya a su padre y a su padre tampoco se le ocurría nada que no le hubiera contado ya a Paul. Se miraban el uno al otro... y no sabían qué decir.

Finalmente, Paul dijo: «¿Qué tal si jugamos a algo?», pero no se había traído ningún juego y su padre no tenía ninguno. Su padre intentó hacerle algunas preguntas a Paul con la intención de entablar conversación pero Paul se sintió de nuevo incómodo y raro. El desconocido entorno no contribuía a mejorar la situación.

Entonces, el padre de Paul empezó a explicarle historias de su infancia; historias de la abuela, el tío, la tía y él mismo cuando eran más jóvenes. Las historias eran moderadamente interesantes y ayudaron a que pasara el tiempo.

Cuando su padre le dijo: «Has tenido un día largo. ¿Qué tal si nos vamos a la cama temprano?» Paul no rechistó.

Al día siguiente era sábado y el padre de Paul le llevó al centro. Vieron el Centro Rockefeller, fueron al Radio City Music Hall y luego se dirigieron al barrio chino, donde comieron de maravilla. Después volvieron a las afueras y pasearon por la zona de Times Square, que fue donde Paul vio por primera vez el barrio de los teatros. Estaba oscuro y las marquesinas de los teatros estaban todas encendidas. Paul se quedó impresionado. Para cuando llegaron a Nueva Jersey, era bastante tarde. Paul y su padre se tomaron un refresco y hablaron de todo lo que habían visto en Nueva York.

Al día siguiente volvieron a la ciudad y el padre de Paul le enseñó las vistas que había de la ciudad desde el mirador del Empire State Building. Luego le llevó a dar una vuelta en el ferry que va a Staten Island y, después, subieron y bajaron de metros y autobuses, mientras iban visitando diferentes barrios. A Paul le sorprendió la variedad de zonas que formaban parte de Nueva York. Fueron a una tienda de música gigante y su padre le dio cincuenta dólares para que se comprara discos compactos. Luego cenaron en un restaurante del Upper West Side de Manhattan y Paul probó el filete de búfalo por primera vez en su vida.

Cuando regresaron al bloque de apartamentos de Nueva Jersey donde vivía su padre, había un chico de la edad de Paul paseando por delante. Paul se paró a hablar con él y descubrió que se llamaba Jared. Cuando Jared se enteró de que a la mañana siguiente el padre de Paul tenía que trabajar, le invitó a quedar con él. Jared tenía montones de videojuegos y otras cosas chulas, así que quedaron muchas veces más durante el resto de la semana.

El lunes por la noche, cuando el padre de Paul volvió del trabajo, le contó a Paul cómo le había ido el día y él le contó a su padre lo bien que se lo había pasado con Jared. Luego se hincharon de espaguetis y albóndigas. Cenaron tarde pero bien y para cuando ya no les quedaba nada que contarse, eran casi las diez de la noche.

A la mañana siguiente, Paul fue a la ciudad con su padre, vio su oficina y luego se fue él solo a explorar los alrededores. Comieron juntos y luego Paul cogió el autobús de vuelta a Nueva Jersey y pasó el resto de la tarde con Jared. Esa noche, Paul y su padre salieron a comerse una pizza y se llevaron a Jared con ellos. Esto hizo que les resultara más fácil aún entablar conversación.

Cuando volvieron a casa del padre de Paul, Jared se fue a su casa y Paul y su padre hablaron. Paul le habló a su padre de su experiencia explorando los alrededores de la oficina donde trabaja y su padre le contó un poco de la historia de Nueva York. Habló de la gente y las costumbres, y no de hechos y cifras que es lo que aburría a Paul en clase de historia, así que a Paul la conversación le pareció interesante. Pronto llegó la hora de irse a dormir.

El resto de la semana fue mucho más fluida. Jared y Paul fueron caminando hasta un quiosco, donde Paul se compró unas cuantas revistas de coches que leía cuando estaba solo, pero aún así siguió pasando mucho tiempo con Jared. Luego, cuando estaba con su padre, le hablaba de lo que Jared y él habían hecho o de lo que había leído en las revistas. Hablaban de coches y del coche que a Paul le gustaría tener cuando se sacara el carné de conducir.

Al final, acabaron hablando de lo raro que le parecía a Paul no tener a su padre en casa. Ahora Paul se sentía mucho más cómodo hablando de ello. Además, el hecho de que de vez en cuando hubiera pausas en la conversación, momentos de silencio en los que ninguno de los dos tenía nada que decir, no le resultaba tan incómodo y violento.

El sábado volvieron a ir a la ciudad y su padre le llevó a más lugares de interés turístico, más barrios y más sitios buenos donde comer. Comieron y cenaron en la ciudad y luego le llevó a ver un espectáculo en Broadway; una comedia que a Paul le pareció muy buena.

Al día siguiente, cuando su padre le llevó al aeropuerto Newark, Paul le dijo: «¡Te voy a volver a echar mucho de menos! ¡Estoy impaciente porque lleguen las vacaciones de verano!», y lo dijo sinceramente. El primer día había querido volverse a casa, pero ahora no quería irse.

La próxima vez que fuera a visitar a su padre se llevaría más cosas que hacer para cuando se quedara solo. Además, la próxima vez su padre tendría algunos días de vacaciones y podría pasar más tiempo con él. Eso también mejoraría las cosas. Y Jared había dicho que también estaría por allí en verano. El padre de Paul le había prometido, por otra parte, enterarse de si había otros chicos de su edad en el edificio.

¡Después de todo había acabado siendo una visita agradable! Fue entonces cuando Paul decidió que tener dos «casas» no estaba tan mal al fin y al cabo.

* * *

6. Padres que están lejos

La visita de Paul a su padre en Nueva York fue toda una odisea, ¿no es cierto? El vuelo, el apartamento diminuto, los incómodos momentos de silencio, el preguntarse qué hacer, el hecho de encontrar a un nuevo amigo, la visita a la oficina de papá...

¡Es tan sencillo cuando mamá y papá viven cerca y tú puedes ir de casa de uno a casa del otro con facilidad! Es posible que mamá te lleve en coche a casa de papá o que papá vaya a casa de mamá a recogerte. Aunque quizá vayas en bicicleta de un lado al otro o cojas el autobús. Si eres lo suficientemente mayor como para conducir, ir de un lado a otro no debería suponer un problema.

Pero ¿qué haces cuando uno de tus padres se va a vivir fuera de la ciudad? Ya hemos hablado un poco de esto, pero examinemos más de cerca la situación.

En un mundo perfecto, los padres que se divorcian se quedarían en la misma ciudad hasta que sus hijos fueran mayores para que a los hijos les resultara más fácil estar cerca de ambos padres. Sin embargo, nada es perfecto y a veces las personas tienen que mudarse.

¿Cuáles son las razones por las que los padres se mudan? Es posible que la empresa para la que trabajan les traslade. También es posible que consigan mejores ofertas de trabajo, con aumentos de sueldo tan buenos que no puedan permitirse rechazar. A veces también pierden el empleo y puede que el único trabajo que encuentren sea en otra ciudad. O quizá tengan que trasladarse para estar cerca de un familiar enfermo.

Si la madre de mamá, que vive sola en Dubuque, se pone muy enferma y su enfermedad va para largo, es posible que mamá tenga que mudarse a Dubuque para estar cerca de la abuela y pueda cuidarla. Por otro lado, puede que sea mamá quien necesite ayuda. A veces, el padre que tiene la custodia tiene que irse a vivir cerca de su madre o hermana u otro familiar para que le ayude a cuidar de los hijos. Si vas al instituto y eres hijo o hija única, es posible que esto no sea un problema, pero imagínate que tienes trece años y que tienes una hermana de diez y un hermano de seis. Es posible que mamá tenga que irse a vivir cerca de la abuela o de la tía Ellie para que la ayude con los niños, especialmente si antes de divorciarse era ama de casa y ahora tiene que volver a trabajar.

También existen otras razones para mudarse. Una de ellas es simplemente empezar de cero. Tras un divorcio, algunas personas prefieren empezar de nuevo en otro lugar... quizá uno donde los vecinos no vayan por ahí chismorreando acerca del divorcio. Otra razón puede ser el clima. Un hombre o mujer que odie el frío (o le encante esquiar) puede haber estado casado con alguien que no pensaba lo mismo o que no podía mudarse a otro sitio por cuestiones de trabajo. Ahora que está divorciada, esta persona es libre de irse en busca de la calidez de Arizona, Florida o California o mudarse a una zona donde se pueda esquiar como Canadá, Colorado o Vermont. Un vecindario más amistoso es otra buena razón para mudarse. Es posible que una persona recién divorciada quiera simplemente volver a su ciudad natal porque allí se siente mucho más cómoda.

Mantenerse en contacto

Está claro que si tu madre o tu padre se mudaron tras el divorcio y ahora viven a una distancia considerable el uno del otro no podrás ver al padre que no tiene la custodia tan a menudo como cuando mamá y papá vivían en la misma ciudad. Ahora, sin embargo, sólo verás a papá (o a mamá si vives principalmente con papá) a veces, probablemente durante la mayoría o todas las vacaciones de Navidad, Semana Santa y verano. Ya hemos hablado de esto en un capítulo anterior. Pero también es importante pensar en mantenerse en contacto entre visitas.

La forma más fácil y barata de comunicarse es a través del correo electrónico o los mensajes instantáneos. Siempre y cuando los dos tengáis ordenador y correo electrónico, podréis enviaros mensajes cuando queráis. Además, si los dos tenéis el mismo programa de mensajería instantánea, también podréis enviaros mensajes instantáneos. (Y si por casualidad los dos tenéis también una *webcam*, podréis veros el uno al otro a la vez que os enviáis mensajes.)

Si papá o mamá no tienen correo electrónico, podéis comunicaros a través del anticuado «correo normal» (correo postal) enviando y respondiendo cartas aunque éstas tarden más en llegar. No obstante, el correo normal es bueno a la hora de enviarle a papá o a mamá cosas como una fotocopia de esa redacción en la que sacaste un nueve y medio, fotos que no están en formato digital, una copia del programa del concierto del coro del colegio en el que cantaste un solo (y quizá también un grabación en cinta, disco compacto o *minidisc* del concierto) o una copia del artículo publicado en el periódico local acerca de cómo la última canasta que hiciste antes de que el árbitro pitara final de partido consiguió la victoria para tu equipo.

Y para oír la reconfortante voz del padre que está lejos, no hay nada como una llamada de teléfono. Las llamadas de larga distancia cuestan dinero, pero si vigilas que sean cortas, el coste de las mismas no debería ser muy alto. Además, el padre que está lejos puede conseguir una «línea 900 personal», como la línea 900 que tienen algunas empresas, que permite a una persona efectuar una llamada de larga distancia sin que le cueste nada. (La persona que recibe la llamada –en este caso tu padre, si le llamas tú– es la que paga el coste de la misma.) De este modo tu madre no puede quejarse de que te gastas mucho dinero en llamar a papá.

Si tú o alguno de tus amigos tiene una cámara de video, puedes pedirle que te grabe en una cinta que tú puedas enviar para que mamá o papá pueda ver el aspecto que tienes ahora. En ella, puedes enseñarle tus músculos o tu nueva ropa. Si eres deportista, quizá quieras que tu amigo te fotografíe mientras juegas a baloncesto, fútbol o fútbol americano o mientras practicas el deporte que practiques normalmente. Si eres artista (cantante, bailarín, actor o tocas algún instrumento) puedes grabarte en una cinta para que tu padre pueda verte y escucharte. Y si estás en el equipo de animadoras, puedes grabar unos cuantos vítores.

También puedes limitarte a hablar. Si te sientes cómodo o cómoda haciéndolo, ponte frente a la cámara, haz ver que estás mirando a tu madre o a tu padre y háblale. Otra cosa que puedes hacer es que tu amigo y tú, ya sea el que está sujetando la cámara o un tercero, hagáis ver que te está entrevistando, como hacen en televisión. El entrevistador puede hacerte preguntas, desde si has sacado buenas notas en el colegio últimamente hasta cuáles son tus aficiones, cuáles son tus intereses (incluidos el deporte y las actuaciones) o qué cosas has aprendido recientemente. Planéalo con un amigo con antelación de manera que las preguntas te ayuden a dar respuestas que proporcionen la información que tú quieras o creas que al padre que está lejos le gustaría oír.

La entrevista no tiene por qué ser lo que los profesionales de la televisión llaman «busto parlante», es decir, mucho parloteo y poca acción. Si has pescado un pez impresionante recientemente, puedes mostrarlo o, si ya está fileteado y dentro de tu congelador puedes mostrar lo que medía utilizando un patrón. Si has redecorado o recolocado los muebles de tu habitación, puedes grabarla en vídeo para mostrar su nuevo aspecto. Y si has aprendido a acolchar, hacer punto o trabajar la madera o el metal, puedes exhibir tus últimas creaciones.

No puedes conseguir un abrazo a larga distancia ¡pero no por eso tienes que perder el contacto!

Puntos a recordar

- ✓ A veces uno de los padres se va a vivir fuera de la ciudad. Puede tratarse del padre con el que vives la mayor parte del tiempo o el que vas a visitar.
- ✓ Existen muchas razones por las que un padre podría mudarse. Algunas de ellas están relacionadas con el divorcio y otras no.
- ✓ Aunque uno de tus padres se vaya a vivir a otra ciudad o tú te vayas a vivir fuera de la ciudad con uno de tus padres, puedes seguir pasando tiempo con tu otro padre durante las vacaciones del colegio.

- ✓ Lleva contigo cosas con las que puedas entretenerte cuando el padre al que visitas esté trabajando o esté ocupado.
- ✓ Entre una visita y otra, puedes mantenerte en contacto a través del correo electrónico, la mensajería instantánea, el correo postal, la *webcam*, las cintas de vídeo, la cintas de casete y las llamadas telefónicas.

7. Tácticas injustas

Tus padres no pretenden ser injustos, pero son seres humanos y, como tales, tienen sus fallos. Hay dos cosas que los padres divorciados a veces piden a sus hijos que son totalmente injustas. Una es pasar mensajes y la otra es proporcionar información poco razonable. ¿Que de qué estoy hablando? Te lo explicaré.

Táctica injusta n.º 1: el mensajero

Empecemos explicando lo de pasar mensajes. Cuando mamá y papá ya no se hablan con normalidad, como acostumbra a ocurrir tras un divorcio, suelen querer saber lo menos posible el uno del otro. Esto puede dar lugar a que eviten hasta la más breve conversación telefónica. Es posible que tu madre y tu padre sigan enfadados el uno con el otro por las razones que de por sí les llevaron a pedir el divorcio. Aunque también es posible que estén enfadados por cosas que se dijeron o se pidieron durante el proceso de divorcio. Si sólo uno de los padres quería el divorcio, puede que el otro esté enfadado o herido, o ambas cosas, con el que lo empezó todo. O puede que tras el divorcio se sientan simplemente demasiado incómodos como para hablarse sin sentirse violentos. Por lo tanto, puede que eviten hablarse... incluso aunque sea brevemente por teléfono.

Ahora, imagina que Ilene, la hermana de mamá, va a celebrar una fiesta de cumpleaños familiar dentro de dos semanas y que va a ser el día en que se supone que tienes que estar en casa de papá. Es posible que mamá quiera intercambiar los fines de semana con papá de modo que puedas ir a la fiesta de Ilene. Sin embargo, quizá no quiera llamar a papá y hablar de ello con él.

Ella podría pedirte lo siguiente: «Por favor, dile a papá que el cuarenta cumpleaños de la tía Ilene es dentro de dos semanas y que me gustaría que fueras. Pídele si le importaría que intercambiáramos los fines de semana. Tú podrías ir a verle de nuevo el próximo fin de semana y pasar el siguiente aquí. ¿Vale?».

Lo más probable es que tu contestes: «Vale», pensando que no pasa nada por preguntarle algo tan sencillo a papá, pero no vale. Claro que es posible que papá se limite a decir que sí y que todo quede arreglado, pero existe la posibilidad de que la cosa no se quede ahí. Quizá a papá no le importe dejarte ir a la fiesta de Ilene pero puede que el próximo fin de semana no le vaya bien pasarlo contigo o quizá tenga planes para ti ese domingo y no le importe que te quedes en casa para ir a la fiesta de Ilene el sábado pero te quiera en su casa el domingo. Como ves, esto está empezando a complicarse y papá y mamá tienen que llegar a un acuerdo y solucionarlo definitivamente.

También puede que papá piense que mamá está intercambiando días con demasiada frecuencia y quiera hacerle saber lo que le parece. Desde luego, él no debería decirte a ti que le molesta que ella se aproveche de él, si es así como se siente, y tú tampoco deberías llevarle ese mensaje a mamá. Si tienen algo negativo que decirse, deberían decirlo directamente ¡y tú no deberías ser en absoluto el mensajero que entregue esa clase de mensaje!

Papá y mamá deberían planear tus visitas entre ellos aunque también deberían preguntarte a ti para asegurarse de que a ti no te crea ningún tipo de conflicto antes de cambiar lo programado. No deberían implicarte en esas idas y venidas de mensajes.

Peor aún es cuando mamá te pide que le digas a papá: «Te has retrasado con el cheque de la pensión alimenticia» o cuando papá te pide que le digas a mamá: «No me parece bien cómo viste Jennifer. ¿Por qué la dejas que se ponga esa ropa?» o cuando mamá te pide que pases mensajes como: «Mamá dice que si no te hubieras gastado tanto dinero en comprarte un coche deportivo, habrías podido compartir los gastos del viaje a Washington del colegio».

Si mamá y papá tienen algún mensaje que darse el uno al otro, deben descolgar el teléfono y decírselo directamente, aunque el mensaje sea inocente y agradable, y si uno de los dos te pide que le transmitas un mensaje al otro, tienes todo el derecho del mundo a negarte. Puedes decir educadamente pero con firmeza: «No es apropiado que yo le diga eso a papá. Debes decírselo tú misma» o «Yo no debería decirle eso a mamá. Por favor llámala y díselo tú».

Peores aún son los mensajes «furtivos», es decir, los mensajes que un padre te pide que transmitas al otro sin que se note que te han pedido que lo hagas. Un ejemplo de ello sería el padre que cuando su hija va a visitarle le pide lo siguiente: «Asegúrate de que a mamá le queda claro que no he estado saliendo con nadie»; o la madre que le dice a su hijo antes de que vaya a ver a su padre: «Intenta hacer ver a papá que sabes que no soy feliz».

Otros mensajes que no deberían pedirte que pasaras incluyen, entre otros: «Asegúrate de decirle a papá lo justos que vamos de dinero. Dile que odias cenar pasta o sopa de alubias tres veces por semana; que te gustaría comer algo de carne, si yo pudiera permitirme comprarla».

Tú no deberías llevar mensajes de un lado a otro. (Ellos no deberían pedirte que lo hicieras pero los padres son humanos y por lo tanto a veces dicen o hacen cosas que no deberían hacer o decir.) Si uno de tus padres te pide que transmitas un mensaje tienes todo el derecho a negarte educada pero firmemente. Niégate. Di: «Lo siento, mamá, pero eso es entre papá y tú. Yo no debería estar en medio. Por favor, llámale y díselo tú misma» o «Lo siento, papá, pero mamá se enfada cuando tú le haces llegar esta clase de mensajes. Si soy yo quien se lo transmite, se enfada conmigo y eso no es justo, ¿no crees? Eso es entre mamá y tú. Por favor no me metas a mí en esto».

Recuerda que tienes derecho a negarte a transmitir mensajes.

Táctica injusta n.º 2: el espía

Sin embargo, los padres no sólo piden a los hijos que hagan el papel de mensajeros, sino que también les piden que hagan de espías. Y eso es aún peor.

* * *

Los padres de Steffi llevaban cuatro meses divorciados. Había sido un divorcio difícil, lleno de malos sentimientos y sus padres no se hablaban, aunque ambos sentían mucha curiosidad acerca de lo que ocurría en la vida del otro.

Cuando Steffi llegó al nuevo apartamento de su padre, dejó su mochila y su bolso en su habitación y luego fue hacia la nevera.

—¿Qué tienes que pueda comer? –preguntó.

—Es casi hora de comer. ¿por qué no esperas? Podemos comer en una media hora. Háblame. Cuéntame lo que pasa en casa –le dijo su padre.

Steffi empezó a contarle a su padre las novedades de la semana pero él parecía distraído, como si no le estuviera prestando atención. Finalmente le preguntó:

—¿Y qué hacéis mamá y tú por la noche?

—Lo mismo de siempre –contestó Steffi.

—¿Se aburre mamá sola en casa toda la noche... o no está sola toda la noche?

Steffi no sabía a dónde iba a ir a parar esa conversación pero se sintió algo incómoda al respecto.

—A veces –respondió vagamente.

—¿Dónde va? –preguntó papá.

—Bueno... ya sabes. A veces va a casa de amigos.

—¿Y esos amigos van a casa?

—A veces.

—¿Tiene amigos nuevos?

Steffi notó que la voz de su padre parecía algo así como nerviosa y se encogió de hombros sin decir nada.

—Bueno, ¿quién va a casa? –preguntó el padre de Steffi.

Steffi volvió a encogerse de hombros. Su padre la miró fijamente.

—Ya sabes –dijo Steffi volviendo a encogerse de hombros–. Sus amigos. Gente. No sé.

—¿Algún hombre?

—Bueno, Evan, Chuck, David, y Bert, y... ya sabes... –dijo.

Steffi estaba nombrando a los maridos de las amigas de su madre.

—¿Alguno nuevo? ¿Nuevos amigos? ¿Amigos que no estén casados? ¿O es que Evan y Chuck y

David y Bert van solos? –interrogó su padre en un tono de voz seco.

La respuesta de Steffi sonó nerviosa. No sabía de qué iba aquella conversación pero sí sabía que la estaba haciendo sentir incómoda.

—Bueno, Bert vino sin Carole cuando le arregló la luz de la cocina a mamá, Chuck vino sin Renee cuando se estropeó el triturador del fregadero y Renee vino sin Chuck cuando mamá necesitaba ayuda con un patrón de costura.

—Eso no es lo que te he preguntado.

—¿Por qué me estás haciendo todas estas preguntas, papá?

—Sólo estoy entablando conversación. Simplemente me pregunto lo que pasa en casa... quiero decir, en vuestra casa. ¡Eso es todo! –su tono de voz sonó muy seco.

—¿Necesitas ayuda para hacer la comida? –preguntó Steffi a la vez que se levantaba de la silla.

—Sí, gracias –respondió su padre levantándose también y caminando hacia el frigorífico. Por el momento se terminó el interrogatorio, pero a Steffi todavía le esperaba otro tanto al llegar a casa de su madre el domingo por la noche.

—¿Cómo está tu padre? –preguntó su madre.

—Bien –contestó Steffi.

—¿Parece feliz? –preguntó su madre.

—No sé –respondió Steffi mientras se enroscaba un largo mechón de pelo firmemente en un dedo.

—¿Ha comprado algún mueble nuevo? ¿Está distinta su casa?

—Él siempre se compra cosas nuevas. Cada vez que voy allí hay algo nuevo pero todavía necesita muchas cosas más.

—¿Crees que esas cosas nuevas las ha escogido él? –preguntó su madre.

—¡No lo sé! –respondió Steffi con un suspiro de exasperación–. ¿Cómo se supone que voy a saber si papá ha escogido una silla o un jarrón?

—¿Tiene un jarrón nuevo? –preguntó su madre girando la cabeza bruscamente–. ¿Has notado algo distinto en su armario? ¿Ropa de mujer?

—No he mirado dentro del armario de papá –dijo Steffi–. ¿Por qué iba a hacerlo?

—¡No lo sé! –contestó su madre con brusquedad–. ¿Es que no te fijas en las cosas?

—¡Pues yo creo que papá y tú os fijáis demasiado en las cosas! –respondió Steffi toscamente. Luego salió, se metió en su habitación y cerró la puerta. Imaginaba que luego su madre la reñiría por descarada, pero ya

estaba harta de tantas preguntas, primero de su padre y luego de su madre. ¿Qué era lo que querían saber? ¿Qué eran todas aquellas preguntas? ¿Y por qué estaban aún tan interesados el uno por el otro si ya no se querían y no querían estar casados? ¡Seffi pensó que nunca entendería a sus padres!

* * *

Los padres que están divorciados a menudo se preguntan lo que ocurre en la vida de sus ex maridos o ex mujeres. A veces las preguntas las hacen sólo por curiosidad, sin ninguna intención. En ocasiones las preguntas surgen cuando uno de los padres se retrasa a la hora de pagar la pensión alimenticia al otro o dice que no puede dar dinero extra para algo inesperado, como un aparato para los dientes de Vic o el campamento de voleibol de Sauna. El otro padre, por lo general la madre, podría preguntarse si es verdad que papá va tan mal de dinero o si es que sí lo tiene pero sólo para sus propias necesidades. Por esa razón, le preguntará a su hijo o hija cosas como si papá tiene muebles nuevos, ropa nueva o coche nuevo.

A veces las preguntas son por celos. Papá y mamá podrían preguntarse si el otro está saliendo ya con alguien. El padre podría preguntar si algún hombre nuevo ha ido a casa de visita y la madre, si hay ropa de mujer en casa de papá o incluso cuántos cepillos de dientes hay en el baño. La madre, al igual que la madre de Steffi, también podría intentar averiguar si la casa de papá hace pinta de que alguna mujer le haya estado ayudando a ponerla más bonita.

También es posible que hagan preguntas diseñadas para descubrir si el otro está siendo un buen padre o una buena madre: «¿Qué te da de comer papá cuando estás en su casa?» o «¿Tiene mamá la casa limpia?».

Sin embargo, no todas las preguntas son malas. «¿Vigila papá que hagas los deberes cuando estás en su casa?» es una pregunta justa. «¿Es la casa de papá lo suficientemente cálida o necesitas llevarte un jersey más?» también está bien.

No obstante, si hay algo que mamá quiera saber de papá o algo que papá quiera decirle a mamá, deja que se comuniquen directamente. Ellos deberían dejarte a ti al margen, al igual que con lo de pasar mensajes de uno a otro.

No es justo que mamá o papá te pidan que hagas de espía. No deberían ponerte en esa situación y tienes todo el derecho a negarte. Puedes decirles algo como: «Me estáis pidiendo que me ponga de parte de uno de los dos. Si espío a uno y no al otro, me estoy poniendo de parte de uno de mis padres y si os espío a los dos... bueno, ¿de verdad quieres que le diga a mamá o papá todo lo que haces? Pues entonces, por favor, deja de hacerme todas esas preguntas».

Tienes derecho a negarte a pasar mensajes o a hacer de espía.

Puntos a recordar

- ✓ Los padres divorciados a veces sienten curiosidad por lo que ocurre en la vida del otro.
- ✓ A veces los padres divorciados se sienten incómodos hablando el uno con el otro, aunque sea brevemente por teléfono.
- ✓ No es justo que tus padres te pidan que pases mensajes de uno a otro. Tienes derecho a negarte.
- ✓ Tampoco es justo que te pidan que hagas de espía. Tienes derecho a negarte.

8. Momentos de confusión

El diccionario define *confusión* como «un estado de agitación o desorientación extremo» y, ¿no es ésa la definición perfecta del estado de un adolescente (o cualquier niño) tras enterarse de que sus padres se están divorciando?

Cuando tu vida se desarma a tu alrededor y tu mente se alborota, no es fácil pensar con claridad. Y cuando las personas –de cualquier edad, no sólo los niños– están en un estado de confusión, es más probable que tengan dificultad para pensar con claridad. Es más probable que tomen malas decisiones.

Por lo tanto, una parte de este breve capítulo no trata específicamente del divorcio de tus padres, sino que trata de cómo evitar los diferentes tipos de errores que es probable que cometas. Trata de cómo tomar buenas decisiones y no malas decisiones.

Decisiones y más decisiones

¿Cuáles son algunas de las malas decisiones que podrías sentirte tentado o tentada a tomar?

Alguien podría ofrecerte drogas. Normalmente dirías no a las drogas pero como no puedes pensar con claridad y/o tienes el corazón dolido o la cabeza hecha un lío, a veces «huir» de los problemas a través de las drogas puede resultar tentador. También puede ser que como crees que tu vida ya está hecha trizas, pienses: «¿Qué diferencia hay? Mi vida está arruinada de todos modos», y te sientas tentado o tentada a decir sí.

Tu pareja podría presionarte para que practiquéis el sexo. Hasta ahora, quizá hayas tenido una relación «para todos los públicos», o a lo sumo «sólo para mayores», con él o ella pero ahora te sientes como si ya no importara que cedieras. Sientes que tu vida está arruinada de todos modos así que, ¿qué diferencia hay? O sientes que es la única persona que te quiere y está ahí contigo así que, ¿por qué no vas a poder intimar más aún con él o ella?

Un amigo te pide que le ayudes a copiar en un examen. Normalmente no harías algo así. No sólo está mal desde el punto de vista ético, ¡sino que podrían pillarte y podrías meterte en problemas! Sin embargo, ahora que todo tu mundo está patas arriba, las pequeñas cosas como lo que está bien y lo que está mal, o el miedo a que te descubran, parecen menos importantes. Quizá sea simplemente que no puedes pensar con claridad. ¿Por qué no ibas a poder ayudar a un amigo que te ha ayudado a ti? (Esto es especialmente cierto si se trata de un amigo que te ha ayudado a superar los disgustos que te ha causado el divorcio de tus padres y ahora ese amigo te dice: «Yo estuve ahí contigo cuando me necesitaste. Me debes una».)

Un amigo te pide que le prestes tu coche. Sabes que no es buen conductor o que a veces se toma unas cuantas cervezas y luego coge el coche. O quizá sea un conductor bueno, precavido y responsable pero tus padres te han prohibido expresamente que le dejes el coche a nadie. No obstante, lo que tus padres quieren ahora no te parece tan importante... después de todo ellos están echando por tierra tu felicidad, ¿no es cierto? ¿Qué hay de malo en dejarle el coche a tu amigo?

Una amiga que fuma te pide que le compres cigarrillos. Tú no eres lo suficientemente mayor y ella tampoco, pero tú pareces mayor de lo que en realidad eres así que es posible que no te pidan el carné de identidad. «No se pierde nada por intentarlo –te dice–, ¿qué es lo peor que pueden hacer? ¿Negarse a vendértelos?». Tú sabes que no es bueno que fume pero también sabes que va a conseguir esos cigarrillos de un modo u otro. No es que tú la estés incitando a fumar por primera vez. Ella ya fuma. El daño está hecho. También sabes que no está bien que compres cigarrillos siendo menor de edad, pero no te importa en absoluto.

Un amigo te ofrece un carné de identidad falso para que puedas comprar cerveza, vodka o combinados con alcohol siempre que quieras. Tu amigo lo hace siempre y no le pillan. ¿Por qué no ibas tú a poder hacerlo?

Tu madre te pide que intentes averiguar si tu padre ha conseguido esa subida de sueldo o que intentes mirar en su chequera para ver cuánto dinero tiene. Puede que lo que te pida es que consigas información un poco menos delicada. Quizá «sólo» te pida que intentes averiguar si ya está saliendo con alguien o que le digas si en el baño hay un cepillo de dientes más que podría pertenecer a una mujer. Puede que tu padre te pida que le pases mensajes a mamá: «Dile a tu madre que no me gusta que salga tanto por las noches. Tiene que quedarse más en casa contigo» o «Dile a tu madre que quiero que el dinero de la pensión se lo gaste en ti. No me gusta la idea de que ande conduciendo por ahí en un coche nuevo pagado por mí». ¿Qué más te da si te utilizan para pasarse mensajes o te convierten en su espía?

Podrías sentirte tentado o tentada a irte al cine sin permiso o a intentar entrar a hurtadillas en el cine para ver una película clasificada para mayores de dieciocho, a pesar de que no tienes la edad. También podrías sentirte tentado o tentada a robar en una tienda. ¿Deberías hacerlo? Cuando sientes que tu mundo se está viniendo abajo, resulta fácil ser temerario o temeraria. Cuando parece que nadie te trata justamente, es más difícil recordar que tú también tienes que hacer lo propio con los demás y tomar decisiones moral o éticamente correctas.

Incluso las decisiones que tomas pueden verse afectadas por el estado mental en el que te encuentras como resultado de tu enfado por el divorcio de tus padres. Hablo de decidir si hacer o no los deberes primero o dejarlos para después y jugar primero. Hablo de decidir qué comer cuando cenas a solas. ¿Deberías cenar hamburguesa con patatas fritas o pollo y ensalada?

Cómo tomar buenas decisiones

Así que... ¿qué deberías hacer? Todas estas situaciones implican tomar una decisión, y es posible que tus procesos de toma de decisiones se vean nublados por el estado en el que te encuentras.

Tienes que dar un paso atrás mentalmente y distanciarte del problema o dilema. Luego, intenta responder mentalmente (o en un papel) a las siguientes preguntas:

- ✓ ¿Cuál es el problema al que te enfrentas, la pregunta que necesitas responder o la decisión que debes tomar?
- ✓ ¿Cuáles son las posibles soluciones al problema, respuestas a la pregunta o decisiones entre las que puedes elegir?
- ✓ ¿Cuáles son los puntos positivos de cada una de las posibles soluciones, respuestas o decisiones? ¿Qué cosas buenas podrían pasar una vez hecha tu elección?
- ✓ ¿Cuáles son los puntos negativos de cada una de las posibles soluciones, respuestas o decisiones? ¿Qué cosas malas podrían pasar una vez hecha tu elección?
- ✓ ¿Existe **alguna otra** alternativa en la que todavía no hayas pensado?

Una vez hayas respondido a todas estas preguntas, deberás ser capaz de tomar una decisión correcta con mayor facilidad.

Si crees que no eres capaz de tomar una decisión por ti mismo/a, siempre puedes pedirle consejo o ideas a alguien. La identidad de ese alguien dependerá en parte del tipo de problema o pregunta. Puedes acudir, por ejemplo, a las siguientes personas:

- **Un amigo** equilibrado y sensato en cuya opinión confíes plenamente.
- **Un familiar con el que mantengas una buena relación**: una tía, tío, abuelo o primo mayor quizá. También puede ser que tengas un hermano o hermana mayor, ya adulto, con quien te lleves bien.
- **El consejero del colegio**, si es que lo hay.
- **El líder del grupo de jóvenes** o un clérigo de una entidad religiosa.
- **Tu profesor o entrenador favorito** cuya opinión valores y respetes en gran medida.
- **El padre de uno de tus amigos**: un adulto con el que te lleves bien, puedas hablar y cuya forma de pensar respetes.

Si crees que no puedes fiarte de tu propio juicio en esta época de tu vida, no temas pedir ayuda o consejo. No debes avergonzarte por pedir consejo. Las personas de todas las edades lo hacen todos los días. No necesitas que nadie te diga lo que debes hacer, sino a alguien que te ayude a tomar decisiones por ti mismo/a. A menudo, el simple hecho de hablarlo, de utilizar a alguien de pizarra con sonido, te ayudará a tomar la mejor decisión.

Si se trata de una situación que requiere una decisión rápida y no dispones de tiempo para pedirle ayuda a nadie más, repasa esa lista en tu mente, piensa en las posibles consecuencias (a corto y largo plazo) de decir sí o no al amigo que quiere tomar prestado tu coche o la amiga que quiere que le compres cigarrillos o lo que sea y luego haz lo que creas, en el fondo de tu corazón, que es correcto; la situación que te ofrezca el mejor resultado.

Pero no utilices lo de «ya no me importa» como excusa para tomar decisiones imprudentes. Mañana **sí** te importará.

Puntos a recordar

✓ Es fácil tomar malas decisiones cuando tu mente está hecha un lío a causa de algo tan perturbador como un divorcio. Esto es aplicable tanto a decisiones sobre cosas que tienen que ver con tus padres y su divorcio, como a decisiones en general.

- ✓ Ayuda seguir un proceso de toma de decisiones en el que te hagas ciertas preguntas que te conduzcan a tomar una buena decisión.
- ✓ Si dispones de tiempo (si no es una decisión que debas tomar en el acto), hay personas a las que puedes acudir para que te ayuden a tomar decisiones.
- ✓ No debes avergonzarte por pedir ayuda a la hora de tomar una decisión.
- ✓ Aunque le pidas ayuda a alguien, no tienes por qué seguir su consejo. Deja que te ayuden a hacer tu propia elección.
- ✓ Y recuerda que la decisión que tomes hoy te importará mañana.

9. El capítulo de las preguntas más frecuentes

Este capítulo puede parecer un poco largo. Sáltate las preguntas que consideres que no tienen nada que ver contigo, pero ten presente que leer acerca de los problemas de otras personas te puede ayudar a mantener las cosas en perspectiva.

> *Vi una película titulada* Tú a Londres y yo a California. *En ella, unas niñas hacían que sus padres divorciados volvieran a juntarse. ¿Cómo puedo hacer que eso suceda en la vida real?*

En la vida real, al contrario que en la versión de Hollywood, lo mejor es no intentarlo. Probablemente desconoces todas las razones por las que tus padres rompieron su relación. Incluso aunque sepas que discutían continuamente, no sabes si la mayoría de sus discusiones se centraban en un problema subyacente más profundo. Puede que no fuera sólo que no se llevaban bien y que haya una razón más fundamental o que las discusiones constantes no fueran la verdadera razón por la que rompieron, sino que tuvieran otro problema mayor y que dichas discusiones se produjeran como resultado de los sentimientos negativos que sentían el uno por el otro por culpa de ese problema. Puede que no sea algo tan simple como: «Si aprendieran a dejar de pelearse, podrían llevarse bien».

Y por supuesto puede que no sea en absoluto cuestión de discutir y no llevarse bien. Uno de ellos podría haber hecho algo que el otro no es capaz de perdonar; uno de ellos podría haber hecho algo que haya conducido al otro a sentir que ya no puede confiar en él o ella; o puede que simplemente uno de los dos ya no quiera al otro, o que los dos no se quieran. Aunque los padres nunca dejan de querer a sus hijos, los maridos y las mujeres pueden dejar de quererse. A veces las personas cambian tanto que uno le dice al otro: «Eres muy distinto o distinta a como eras antes. Ya no eres la persona de quien me enamoré y con quien me casé». Una persona trabajadora puede convertirse en una persona vaga. Una persona considerada puede pasar a ser desconsiderada. Una persona pulida puede convertirse en una persona dejada. Una persona generosa puede transformarse en una persona tacaña. Una persona divertida puede pasar a ser súper seria. Y una persona que disfrutaba relacionándose con otras personas puede convertirse en alguien reservado e introvertido.

Algunos problemas entre parejas se pueden solucionar, a menudo con la ayuda de un consejero matrimonial u otro profesional. Sin embargo, otros van más allá de lo que la ayuda profesional puede resolver, especialmente si uno de los dos ha cambiado de forma radical o si uno de los dos ya no está interesado en hacer que el matrimonio funcione.

Si hubiera alguna posibilidad de que la terapia matrimonial salvara el matrimonio de tus padres, probablemente lo habrían intentado.

Por lo tanto, como no conoces toda la historia que hay detrás del divorcio de tus padres, no intentes «jugar a ser el pegamento» que los una de nuevo. Casi nunca funciona.

No creo que papá quisiera el divorcio. Fue mamá. ¿Significa eso que hay más posibilidades de que se reconcilien?

Algunas parejas prueban una segunda vez y algunas obtienen mejores resultados, pero a menos que los problemas subyacentes se resuelvan, nada cambiará la segunda vez. Los padres de mi mejor amiga se divorciaron y su madre volvió a casarse. Algún tiempo más tarde, se divorció de aquel hombre y volvió a casarse con su primer marido. Sin embargo, los mismos problemas que afectaron a su primer matrimonio seguían ahí y al final acabaron divorciándose de nuevo.

Es posible que tu madre se arrepienta de haberse divorciado, pero no suele ocurrir. Además, si ocurre, no es una garantía de que seguirán casados. Si no superan lo que no funcionaba en su matrimonio, es muy probable que el segundo intento no vaya mejor que el primero. No albergues esperanzas.

Desde que papá se fue de casa, mamá está siempre triste. ¿Cómo puedo hacer que se sienta mejor?

Sé un hijo cariñoso. Ayúdala con las cosas de casa siempre que puedas. Sé atento: pregunta qué puedes hacer para que se sienta mejor, recoge flores y llévale un ramo o si sabes cocinar prepárale su cena favorita. (¡La única forma de aprender a cocinar es **cocinando**!) Habla con su mejor amiga y organizadle una fiesta sorpresa por su próximo cumpleaños, aunque no hace falta que lo hagáis por una razón en particular. Sé considerado y no le causes problemas innecesarios. Éste no es momento para que encima tenga que preocuparse porque has llegado una hora tarde a casa o te relacionas con gente que no es de fiar.

Pero si no consigues hacerla más feliz, no te sientas mal. Recuerda que **la felicidad de tu madre no es responsabilidad tuya**.

> *Sé que mi madre fue la que quería el divorcio pero ahora no parece muy feliz. ¿Por qué pidió el divorcio si lo único que ha conseguido es estar triste?*

¿Conoces la expresión «el menor de dos males»? Puede que ella creyera que el divorcio era necesario por alguna razón que tú desconoces. Ahora que ya tiene el divorcio, es probable que recuerde cómo solían ser las cosas cuando se casó, antes de que todo empezara a ir mal, y que desee poder echar marcha atrás para que las cosas vuelvan a ser como antes, cosa que en la mayoría de los casos no es posible. Esto podría entristecerla.

Puede que simplemente se sienta sola, abrumada por el trabajo y la responsabilidad que tiene encima o preocupada por cuestiones de dinero.

En todos estos casos, es posible que se sienta triste o sobrecargada. Eso no significa que le gustaría volver a estar casada con tu padre, sino que la alternativa, es decir estar divorciada, tampoco es necesariamente una situación fácil, pero no es tan mala como estar casada y soportar la situación que la condujo a pedir el divorcio.

Mis padres dicen que están «separados». ¿Cuál es la diferencia entre «separados» y «divorciados»? A mí me parece que es lo mismo que un divorcio.

Existen dos tipos de separación. Una es una «separación de prueba». Una pareja que pone en práctica una separación de prueba está intentando averiguar si vivir separados es mejor que vivir juntos en un matrimonio que no funciona bien. Es posible que tras vivir separados durante un mes, o tres, o seis, decidan que después de todo es mejor estar casados, incluso a pesar de sus problemas. Aunque también es posible que se sientan aliviados al verse despojados de los problemas que existían en el matrimonio y que decidan que sí, que quieren divorciarse.

El otro tipo de separación no es una prueba, sino un paso antes de divorciarse. La pareja ha decidido divorciarse pero los abogados aún están negociando con mucho esfuerzo las condiciones del divorcio. Aún no es definitivo pero las dos partes están determinadas a obtener el divorcio. Sin embargo, hasta que el juez no dicte la sentencia de divorcio, no están divorciados formalmente, aunque sí están en vías. Están **separados**. Han roto y sólo esperan que sea legal para hacerlo oficial. (Encontrarás más información sobre las separaciones un poco más adelante, en este mismo capítulo.)

¿Cuántos años tienes que tener para que el juez te deje vivir con el padre que tú quieras?

No existe una regla definitiva para responder esta pregunta. No hay una edad determinada a partir de la cual un juez escuche automáticamente las preferencias de un menor. Depende de muchas cosas. Puede que lo determine la ley de tu estado. Tu edad es un factor, tu nivel de madurez (sea cual sea tu edad) otro, lo que el juez crea otro y las circunstancias del divorcio, otro más. Pongamos que quieres irte a vivir con tu padre. Si tu madre y tu padre se ponen de acuerdo, hay muchas probabilidades de que el juez lo acepte, pero si tu madre no está de acuerdo, el juez tendrá que tomar una decisión.

Supongamos que tu padre trabaja principalmente desde casa. Puede que esto haga que el juez se incline por dejar que vivas con tu padre (aunque no es una garantía). Sin embargo, si lo que sucede es lo contrario y tu padre hace dos turnos y está muy poco en casa, es mucho menos probable que el juez acepte. Hay otras muchas cosas que podrían hacer que el juez decidiera no concederle la custodia a tu padre. Por ejemplo, el hecho de que tu padre tenga antecedentes penales, esté bajo tratamiento por abuso de estupefacientes o tenga graves problemas de salud podría pesar en contra de la posibilidad de que se te permita vivir con él.

No obstante, si eres ya adolescente, es probable que el juez tenga en consideración tus deseos, aunque no tiene por qué cumplirlos.

El juez fijó un programa de visitas que establece cuándo puedo ver a mi padre. ¿Por qué no puedo verle más a menudo?

Si tu madre, tu padre y tú estáis de acuerdo, podrás verle más a menudo. El programa de visitas no tiene por qué ser rígido. Si tu padre quiere verte, tú quieres verle a él y es uno de esos días en los que está programado que vayas a visitarle, tu madre no tiene derecho a negarte que vayas a su casa. (Claro que si estás enfermo o enferma, y tienes algo más grave que un simple resfriado, tiene derecho a hacer que te quedes en casa.) Si no es un día de visita, tu madre tiene derecho a obligarte a que te quedes en casa, pero si quiere dejarte que vayas a casa de tu padre, a tu padre no le importa y no va interferir con el hecho de que hagas los deberes y tareas de la casa a tiempo, tus padres pueden acordar tiempo extra de visita.

Mi hermano se fue a vivir con papá después del divorcio, pero yo todavía vivo en la antigua casa con mamá. Mi hermano lo tiene mejor porque tiene su propia habitación (mientras que yo tengo que compartir la mía con mi hermana), papá es buen cocinero (mamá es un desastre en la cocina) y es más fácil vivir con papá que con mamá. ¿Cómo convenzo a mamá para que me deje ir a vivir con papá?

¡No diciéndole que es más fácil vivir con papá o que su comida es horrible, desde luego! Responderé a tu pregunta en un minuto, pero primero permíteme que saque a relucir unas cuantas cuestiones.

Cualquier hijo que quiera vivir con el otro padre tiene que pararse a pensar en algunas cosas. En primer lugar, ¿por qué quiere mudarse? ¿Es realmente difícil vivir con el que vive ahora o es que piensa que el otro será menos estricto? ¿Supondrá vivir con el otro padre realmente una mejora o simplemente lo parece porque en casa existen normas de disciplina, normas que habrá que seguir tanto con un padre como con el otro? ¿Será de verdad mejor tu vida con el otro padre o es simplemente porque tiene una casa más bonita, vive más cerca del centro comercial, del colegio o el gimnasio o algo parecido?

¿Hay sitio para ti en casa de tu otro padre? ¿Tiene papá una tercera habitación para que tú tengas la tuya propia como tu hermano? ¿Sabes si tu otro padre está dispuesto a que vivas con él o con ella? ¿Realmente piensas que tu situación actual no se puede mejorar? Tanto si la cuestión es tener que compartir habitación como si es cualquier otra clase de problema, si le hicieras saber a tu madre (en este caso) lo importante que es para ti, quizá haría algo al respecto. (Quizá no pueda, pero vale la pena preguntar.)

También puede ser que la razón por la que una adolescente quiera irse de casa de mamá para mudarse a casa de papá sea otra distinta... quizá sea algo de lo que ni siquiera ella sea consciente. Si la razón es que mamá ha estado deprimida desde el divorcio, piensa que es una situación temporal. **Mejorará**. (Y ahora mismo, estar con mamá la ayudará.)

O puede que el divorcio se produjera hace un año, que mamá esté saliendo con un nuevo novio que pasa mucho tiempo en casa y a ti él no te guste. ¿Es realmente poco amable, pegajoso o desagradable? ¿O se trata solamente de que no es papá? Si es sólo porque no es papá, no es razón suficiente para mudarte. Si de verdad es antipático quizá tengas una buena razón para querer mudarte, pero no le digas a mamá: «¡Robert es un perdedor!». Limítate a decirle que no te sientes cómoda en su presencia. (No hace falta decir que si te ha hecho algo verdaderamente malo, **tienes que decírselo a mamá**, o a cualquier otro adulto en quien confíes.)

¿Has pensado en cómo le vas a decir al padre con el que vives que te mudas? ¡Lo más probable es que no quieras herir los sentimientos de nadie!

Una vez analizada la situación concreta que planteabas en tu pregunta, echemos un vistazo a las respuestas que te prometí.

Podrías probar a pedirle a mamá que te deje vivir con papá durante unos cuantos meses para que compruebes si te gusta. Puede que acepte y puede que no, pero vale la pena intentarlo. Intenta darle una razón persuasiva, una que no hiera los sentimientos de mamá.

Podrías incluso descubrir, después de haberlo probado durante unos cuantos meses, que vivir con papá no es exactamente como pensabas que sería y, como lo habrás planteado como si fuera una «prueba» en lugar de una «mudanza», no te habrás cerrado ninguna puerta. Podrás mudarte de nuevo a casa de mamá si descubres que, después de todo, vivir con ella era mejor de lo que pensabas.

Otra cosa más: ¿has pensado alguna vez en lo que podrías hacer para que la vida en casa de mamá fuera mejor? ¿Qué te parece aprender a cocinar y preparar algunas comidas tú mismo? ¿Podrías llevarte mejor con mamá si cambiaras algunas cosas como, por ejemplo, tu forma de comunicarte con ella, tu disposición a la hora de arrimar el hombro, tu actitud?

Mis padres ya llevan casi un año divorciados. Al principio, papá me veía siempre pero ahora suele estar «demasiado ocupado» o tiene «algo más» que hacer. ¿Hay algún modo de conseguir que me vea con más frecuencia?

Lo primero que debes hacer es hablar con él y decirle lo mucho que le echas de menos. Los padres son seres humanos al igual que lo son los niños y, al igual que ellos, pueden meter la pata a causa de sus propias necesidades.

¡Claro que quieres verle más a menudo! ¡Es tu padre! Es normal que de vez en cuando haya una semana en la que esté verdaderamente demasiado ocupado para verte (o en la que tú estés demasiado ocupado u ocupada para verle a él). Pueden pasar muchas cosas. Podría tener una reunión de negocios o necesitar salir de la ciudad. Tú también podrías tener que asistir a un acontecimiento deportivo del colegio. No obstante, si sucede con mucha frecuencia, sospecho que hay algo más que le impide verte.

Aunque debe de dolerte, por favor entiende que lo más probable es que no tenga nada que ver contigo. (Una excepción a esto sería que tú estuvieras haciendo que las visitas resultaran incómodas. ¿Has estado presionando a papá con lo de «ven a casa», criticando a su nueva novia o has estado de mal humor o has provocado discusiones? Si ha sido así, es posible que tu padre ya esté harto, pero si no, ¡cabe suponer con bastante seguridad que tú no has hecho nada!)

Hay muchas razones por las que tu padre se puede mostrar reacio a verte tan a menudo como podría. Si tu madre ahora tiene un nuevo marido (o un novio que está por allí a menudo), puede que papá no se sienta cómodo pasándote a recoger por casa de mamá.

También es posible que haya pasado alguna otra cosa entre mamá y papá que le haga sentir incómodo en su presencia... y que, por lo tanto, ir a verte le resulte violento. No sé quién de los dos quería el divorcio pero puede que mamá le esté presionando para que vuelva con ella o que sea él quien quiera volver y mamá diga que no.

Claro que puede que no tenga nada que ver con la reconciliación. Mamá podría estar presionando a papá para que le dé más dinero o por alguna otra razón, cosa que le hace evitar acercarse a vuestra casa.

También cabe la posibilidad que si eres chica, te parezcas tanto a tu madre cuando era joven que a papá le resulte doloroso. Él te mira y automáticamente se acuerda de mamá y eso es demasiado doloroso para él.

Aunque también puede ser, claro está, que las razones de papá no sean tan buenas como éstas. Si tus padres llevan ya tiempo divorciados, tu padre podría haber conocido a alguien nuevo. Quizá la está viendo tanto que no le queda tiempo para nada más, ni siquiera para ti, desgraciadamente. También podría haber otra razón no tan buena. Podría ser que fuera mal de dinero y que le diera vergüenza decírtelo. «No puedo llevarte al cine, a cenar o nada parecido. Tendremos que quedarnos en casa, comer perritos calientes y no hacer nada especial este fin de semana.» Podría resultarle más fácil no verte que decirte eso. (Por supuesto que está equivocado, pero como bien sabes los padres también meten la pata.)

Si crees que el problema podría ser algo que has dicho o hecho, llama a tu padre (o, mejor aún, pide verle en persona si es posible) y dile que te has estado preguntando si tal, tal y tal podrían ser las razones de que no quiera verte tan a menudo. Dile que lo sientes y ofrécete a dejar de (pon aquí lo que corresponda), si eso va a hacer que sea posible verle con más frecuencia. (¡Y luego mantente firme a lo que has dicho y vigila tu comportamiento!)

Si no crees que sea nada que tú hayas hecho, siéntate con él en persona (si es posible), o habla con él por teléfono, y dile que echas de menos verle con regularidad. Haz hincapié en el hecho de que quieres y necesitas a tu padre y de que te gustaría verle más a menudo. Pídele que se muestre abierto y honesto contigo acerca de cuál es realmente el problema, de manera que podáis ponerle remedio. Si no le gusta ir a casa a recogerte, quizá podrías ir en bici o en autobús hasta su casa o quizá él podría pagarte un taxi. Si se trata de otra cosa, juntos podéis pensar en una solución, siempre y cuando te diga cuál es el problema.

Y si se da el caso de que el divorcio de tus padres ha sido un divorcio amistoso y son capaces de comunicarse decentemente, incluye la ayuda de tu madre. Si tu padre y ella todavía se hablan con respeto, quizá ella podría ayudarle a darse cuenta de que te está haciendo daño, que tú le quieres y le necesitas y que le quieres ver con más frecuencia. Por otra parte, es posible que él sea más honesto con ella acerca de la verdadera naturaleza del problema.

Por supuesto, hay muchas cosas que mantienen a la familia y los amigos separados. Podría ser que tu padre estuviera poniendo en marcha un nuevo negocio o que su jefe le hubiera sobrecargado de trabajo, que esté abrumadoramente ocupado y vaya muy mal de tiempo. Si ése es el caso, probablemente sea una situación temporal y se resuelva pronto. Lo único que tienes que hacer es ser paciente y verás que es muy probable que las cosas se resuelvan por sí mismas sin que tengas que poner ningún esfuerzo de tu parte.

¡Aunque no pasa nada por decirle lo que piensas! Por lo menos tu padre debe saber, y querrá saber, que te importa.

Finalmente, decir que como me has preguntado acerca de tu padre, te he respondido refiriéndome siempre a él, pero mi respuesta sería la misma si fuera tu madre la que no te viera con la suficiente frecuencia.

¿Van a empezar mis padres a salir con otras personas?

Es muy posible y probablemente te parecerá raro, por lo menos al principio, ver a tu madre salir con otros hombres o ver como tu padre invita a otra mujer a cenar con él, pero recuerda que tus padres ya no están casados y que por lo tanto no están siendo desleales. No hay razón alguna por la que no deban salir con otras personas.

¿Sales tú o alguno de tus amigos con algún chico o chica? Muchas de las razones por las que tú y tus amigos salís con otras personas son aplicables a tu madre y a tu padre. Del mismo modo que tú disfrutas de la compañía de personas del sexo opuesto, ellos también. Al igual que tú disfrutas con un poco de romance y emoción, la compañía e incluso el placer de perseguir o ser perseguido, ellos también. Si a ti te gusta ir a conciertos y otros acontecimientos con alguien del sexo opuesto, a ellos también. Y si tú disfrutas compartiendo tu vida con alguien que te gusta mucho y esperas encontrar algún día a alguien con quien echar raíces, ellos también.

Si mi mamá vuelve a casarse, ¿tendré que llamar «papá» a su nuevo marido?

Por supuesto que no, a menos que quieras. Los nombres que los hijos utilizan para llamar a sus padrastros son muchos y variados. Para llamar a tu nuevo padrastro (cuando lo tengas, si lo tienes) puedes utilizar alguna variante de la palabra «papá», como «pa». Antiguamente, el niño solía llamar a su padrastro anteponiendo la palabra «tío» a su nombre de pila. Esto ya no se acostumbra a hacer tanto pero podría ser una solución. Puedes llamarle por su nombre («Allen», «Clay» o «George» o el que sea) si él está de acuerdo. También puedes pensar en un apodo mono. A lo mejor hasta te gusta lo suficiente como para **querer** llamarle «papá», o «papá Allen» para diferenciarle de tu padre biológico. No obstante, **no tienes** por qué llamarle «papá». Tú **tienes** un padre y tu nuevo padrastro lo respetará.

Si no me gusta el nuevo marido de mamá, ¿me puedo ir a vivir con papá?

Eso es algo que tenéis que resolver tú, tu madre y tu padre. Si tu madre y tu padre están de acuerdo, no existen motivos para que no puedas hacerlo, pero dale una oportunidad a su nuevo marido. Asegúrate de que no te gusta nada. Asegúrate de que no estás molesto o molesta con él porque está intentando hacerse con el sitio de papá o porque simplemente no es papá.

Cuando le conozcas bien de verdad y hayas vivido bajo el mismo techo que él durante algún tiempo, si todavía piensas lo mismo, habla con tu madre y tu padre acerca de la posibilidad de irte a vivir con papá. Puede que mamá acepte o no y que papá acepte o no también (si trabaja muchas horas, por ejemplo, quizá piense que es mejor para ti que vivas con mamá), pero si mamá y papá están de acuerdo, es ciertamente posible.

Plantéaselo a mamá con delicadeza. Después de todo, ella quiere a su nuevo marido ¡y no ganarás puntos con ella diciéndole que ese hombre no te gusta o insultándole! Sin embargo, si eres capaz de señalar cosas específicas que su nuevo marido hace (o deja de hacer) que te causan algún tipo de problema, quizá lo entienda mejor. Quizá te deje mudarte... u os ayude a ti y a su nuevo marido a llevaros mejor. (Quizá ambos podáis hacer cambios que te ayuden a sentirte más a gusto con él y hagan que no estés tan deseoso o deseosa de irte. ¡Aprender a resolver los problemas que surgen en las relaciones es una habilidad muy importante que necesitarás más de una vez en la vida!)

Quiero a mamá y la echo de menos, pero en casa se está casi mejor desde que se fue. El otro día me preguntó cómo llevo lo de que se haya ido. Fue cuando me di cuenta de que no se está tan mal sin ella. ¿Qué le digo la próxima vez que pregunte?

Puedes ser honesto u honesta pero formula tu respuesta con diplomacia. Supongo que la razón por la que «no se está tan mal sin ella» y «en casa se está casi mejor desde que se fue» es que había discusiones o alguna otra forma de conflicto cuando ella vivía allí.

Sin duda alguna, puedes decirle a mamá algo como: «¡Caramba! La verdad es que echo de menos tenerte cerca pero debo admitir que es agradable que ya no haya peleas. Odiaba oíros a papá y a ti discutir continuamente» o «Bueno, para ser sincero, aunque echo de menos verte todos los días, la tranquilidad es agradable. Antes siempre había momentos en los que papá y tú no os hablabais y para mí era duro. Ahora las cosas son mucho más relajadas, y hay una atmósfera mucho más tranquila, aunque ten por seguro que echo de menos tenerte cerca».

De ser cierto, podrías probar con lo siguiente: «Desde que te fuiste, siento que he madurado. A veces olvidas que ya no soy un niño pequeño».

Sean cuales sean las razones por las que «no se está tan mal», intenta hacerle saber, de forma cariñosa, que **la** quieres mucho, pero no tanto cuando **no se comporta** como corresponde y, ¿no es eso exactamente lo que ella piensa de ti? Lo entenderá.

Desde que papá se fue de casa, mamá me habla de forma distinta, casi como si fuera uno de sus amigos o amigas en vez de su hijo o hija. A veces me cuenta cosas que no me gusta oír. ¿Cómo la paro?

Debes decirle a tu madre que no te sientes cómodo o cómoda cuando te cuenta ciertas cosas. Hay muchos padres que cometen el error de convertir a sus hijos en compañeros y amigos tras el divorcio, pero ése no es el papel adecuado para un hijo (que tenga la edad que tenga no sea aún una persona adulta). Espera a que mamá te diga algo concreto que te haga sentir especialmente mal. Luego dile que no te sientes a gusto escuchando ese tipo de cosas, porque ella sigue siendo tu madre y, por mucho que la quieras, eres su hijo o su hija, no su amigo o amiga.

Siempre que te diga algo que no te resulte cómodo oír, dile que ha vuelto a traspasar el límite. (Algunas personas utilizan la expresión «D.I.», que significa «demasiada información». Decirle «D.I.» puede resultar útil en este caso.) Con el tiempo captará el mensaje y aprenderá qué clase de cosas te resulta cómodo o no oír. Los padres también son humanos y cometen errores, al igual que los niños, al igual que todos nosotros.

Mis padres se divorciaron y yo me fui a vivir con papá. Veo a mamá dos fines de semana al mes. Siempre que voy a verla me lleva de tiendas y me compra cosas chulas. Sí, ya lo sé, eso suena genial y no parece ser un problema, ¿verdad que no? Pero lo malo es que sé que anda corta de dinero. La oigo quejarse a papá, al igual que la oigo hablar por teléfono con la abuela. No creo que pueda permitirse comprarme toda esa ropa, videojuegos, discos compactos y demás y yo me siento culpable cuando me las da. Te prometo que yo no le pido nada. Incluso le he dicho que no necesito nada más, pero ella, de todos modos, sigue comprándome cosas. He llegado a pensar en no ir a verla. ¿Qué puedo hacer?

Un viejo amigo mío tenía una expresión para aquellos padres que se han ido de casa y no ven a sus hijos con frecuencia. Son la clase de padres que intentan «comprar su amor» y para ello se gastan cantidades extravagantes de dinero cuando les ven. Mi amigo llamaba a esos padres «tío papi, el del quiosco de chuches». Me han dicho que en California les llaman «papás Disneylandia». Y tu madre es la versión femenina de la «mamá centro comercial».

A veces ese tipo de comportamiento se debe a un sentimiento de culpa. El padre ya no está cerca para hacer de madre o padre a tiempo completo, así que intenta compensar al niño (o adolescente) gastando dinero, ya sea comprándole un par de las deportivas más caras, llevándole con frecuencia a su parque de atracciones favorito, saliendo a comprar cosas que el chico no necesita o organizando un fin de semana «relámpago» con partido de béisbol, espectáculo sobre hielo, cine y cena en un buen restaurante incluidos. Algunos padres intentan ganarse el amor de sus hijos gastándose dinero en ellos.

En ocasiones esta clase de comportamiento no se debe a la culpa sino a la competencia. Uno de los padres compite con el otro por el amor del hijo. Mamá podría, en un esfuerzo por conseguir que su hijo o hija la quiera más a ella que al padre, comprar toda clase de regalos, llenar la casa de la comida favorita del niño o la niña (incluso aunque no sea comida sana) o llevar al hijo o hija a un montón de sitios estupendos... ¿Lo entiendes ahora? Cualquier cosa para hacer que el chico piense: «¿A que mi mamá se enrolla? ¡Mira todo lo que me ha comprado!». Sólo que no siempre funciona. Tú eres una prueba de ello. Eres lo suficientemente mayor como para entender que mamá no puede permitirse todos los caprichos que te está comprando y en vez de ganarse tu amor, te está alejando de ella.

Lo más habitual es que el padre con el que sólo vives de forma esporádica juegue el papel de mamá centro comercial o papá Disneylandia. Él (o ella) es el padre (o madre) feliz, divertido y generoso que carga al hijo o hija de regalos cuando va a verle el fin de semana. El resto del tiempo, el padre que tiene la custodia tiene que educar al hijo o hija, asegurarse de que hace los deberes y ayuda en casa, que obedece... y no tiene nada que hacer frente al padre que le da todos los caprichitos al niño o niña.

No obstante, siempre hay excepciones para lo de «a veces». Hay muchos padres encargados de la tutela que, ya sea por sensación de culpa o por competencia, intentan comprar el amor de sus hijos del mismo modo.

De modo que, en respuesta a tu pregunta sobre lo que debes hacer, te sugiero lo siguiente: siéntate con mamá y habla con ella. Dile: «Mira, mamá, yo te quiero y sé que tú me quieres. No hace falta que me compres todas esas cosas. No quiero que lo hagas. No me siento a gusto. Por favor, deja de hacerlo». Incluso podrías añadir: «Últimamente no me apetece venir a verte. Pienso que si me quedo en casa de papá no podrás gastarte todo ese dinero en mí. ¿Sabes lo que quiero decir? No me hace sentir bien. Todo lo contrario. Para por favor».

¡Papá no lo entiende! Él coge y se va de casa y luego espera que le trate como antes. ¡No es justo! Fue él quien se marchó de casa y nos dejó a mamá y a mí y ahora resulta que si le contesto, aunque sea sólo un poco, me dice con frialdad que me calme. Espera que le quiera como antes, pero ¿¡cómo voy a poder quererle como antes después de lo que hizo!?

Es comprensible que estés enfadado o enfadada con el padre que se fue de casa. Sin embargo, si ya hace más de un par de meses que llevas ése dolor y esa rabia dentro, te sugiero que busques asesoramiento profesional. No hablo de terapia a largo plazo, sino que bastará con unas cuantas sesiones con un consejero.

¿Conoces las circunstancias que provocaron el divorcio? ¿**Sabes** que papá se fue porque él quiso y no porque mamá se lo pidiera? Claro que te duele y es comprensible que estés enfadado o enfadada durante un tiempo pero, por favor, recuerda que tu padre no te ha hecho esto **a ti**. Él dejó **a tu madre**, tanto si fue decisión de él como de ella.

A veces, en este mundo se hiere a personas inocentes. Seguramente habrás oído el término bélico «daño colateral», que se usa cuando se hiere o mata a civiles inocentes en una batalla. Los divorcios también producen una especie de «daño colateral», que es cuando a los hijos les hiere el proceso de divorcio de sus padres.

Estoy segura de que tu padre no tenía la intención de herirte y que no quería dejarte. No obstante, contestarle no mejorará las cosas.

En cierto modo, él tiene razón. Aunque es comprensible que estés enfadado o enfadada, debes «calmarte», y no sólo durante estos determinados incidentes, sino también controlar tu rabia en general. Por favor, dile a alguien que necesitas hablar con un profesional pronto.

¿Por qué la gente no deja a mi madre en paz? Mis padres se separaron y decidieron que mi hermano y yo viviríamos con mi padre. Los tres nos quedamos en casa y mamá se mudó a un apartamento cerca de allí. La vemos a menudo y aunque echo de menos los viejos tiempos y me gustaría que siguiéramos viviendo todos juntos, estoy bien así. Las cosas pasan. El mundo cambia. Sin embargo, la vida sigue. ¿Entiendes? Lo que no me parece bien es la forma en que habla la gente. «¿Tú madre te ha dejado? ¿Qué le pasa a tu madre? ¿Está enferma? ¿Consume drogas? ¿Es que tu madre no te quiere?». Y toda esa clase de basura. ¿Qué le digo a la gente que dice esas cosas? A mis amigos puedo decirles que se metan en sus asuntos ¡pero cuando se trata de adultos no puedo hacer lo mismo! De todos modos, ¿por qué les molesta tanto?

En los «viejos tiempos», no hace mucho, era raro que una madre dejara a sus hijos y que a un padre le concedieran su custodia, y tampoco era demasiado común que una madre trabajara fuera de casa después de tener hijos. Ahora todo ha cambiado.

Los padres (y no hablo sólo de padres divorciados) se involucran más con sus hijos. Algo positivo, por supuesto. Las madres pueden trabajar fuera de casa sin que nadie piense que es algo terrible. Otra cosa positiva. Además, a veces los padres consiguen la custodia de sus hijos al divorciarse, cosa que también puede ser positiva.

Si tanto tú como tu madre y tu padre estáis a gusto con la situación en la que estáis, ¡entonces también es algo positivo! Y tienes razón... no es asunto de tus vecinos (¡aunque ya sabes lo que le gusta a la gente hablar y cotillear!).

¿Por qué les molesta? Porque a la gente le gusta buscar defectos a los demás (un hecho triste pero cierto) y porque muchas personas todavía piensan que una madre debería cuidar siempre de sus hijos.

¿Qué puedes hacer al respecto? A tus amigos, puedes decirles cosas como: «Oye, yo ya estoy bien así. Y que sepas que quiero a mi madre ¡así que déjala en paz!».

Cuando se trate de adultos puedes decir: «A nuestra familia ya le va bien así. Mamá no nos ha abandonado. Ella sigue formando parte de nuestras vidas y ni a ella ni a nuestra familia les pasa nada, así que preferiría no seguir hablando de esto».

Mamá nos abandonó. No sólo dejó a mi padre, sino a toda la familia. Dejó claro que ya no quería seguir siendo madre. No nos ve, no suele llamar por teléfono y no se trata únicamente de un caso de divorcio. Nos ha dejado a todos. ¿Por qué? Nosotros, sus hijos (yo soy el mayor de los tres) nos metíamos de vez en cuando en algún problemilla pero ninguno de nosotros es un niño malo. ¡De verdad!
No sé qué es lo que hicimos mal y no sé cómo hacer que mamá vuelva (aunque me duela que nos dejara, todavía la quiero).

Estoy segura de que tu madre también os quiere pero, aunque todavía os quiera, puede que sea una de esas personas que no deberían formar nunca una familia.

No todo el mundo está hecho para ser padre. Ser padre es duro. Ser padre requiere tener paciencia. Ser padre no es algo que se le dé bien, o le guste, a todo el mundo. Algunas personas no saben sobrellevarlo.

Francamente, por muy duro que te resulte que uno de tus padres esté ausente, es probable que sea menos dañino y menos doloroso que tener un padre que no se preocupe.

Sé que el hecho de que os dejara no hace que te duela menos, pero lo cierto es que puede que sea lo mejor para ti. Lo más importante para ti ahora es que sepas que no se debe a nada que tú hayas hecho. No es porque tú y tus hermanos fuerais demasiado malos o demasiado problemáticos. El problema lo tiene tu madre y es probable que no sea algo que pueda «arreglarse».

Quizá (¡aunque no te prometo nada!) cuando haya pasado algún tiempo lejos de las exigencias de ser madre, os eche de menos y empiece a visitaros con más frecuencia (aunque puede que no sea así). Mientras tanto, recuerda estas tres cosas:

- ✓ Ella todavía te quiere; lo único que le pasa es que no lleva bien lo de ser madre.
- ✓ No se debe a nada que tú o tus hermanos hayáis hecho.
- ✓ Eres afortunado o afortunada de tener aún a tu padre que te quiere y cuida de ti.

Mis padres se divorciaron y aunque al principio mi padre venía a visitarnos con regularidad, poco a poco dejó de vernos. ¡Y eso que vive aquí, en la misma ciudad! Al principio yo le llamaba y le preguntaba cuándo iba a venir a vernos de nuevo, pero él siempre estaba «demasiado ocupado» o «no lo sabía». A veces me salía el contestador y le dejaba un mensaje pero él ni siquiera se molestaba en llamarme. Mi madre dice que él todavía nos quiere pero es obvio que no. (Ni siquiera pasaba tiempo con nosotros cuando mi madre y él estaban casados.) Mi hermana no deja de presionar a mi madre para que se dé prisa y vuelva a casarse y tengamos así un padre, pero yo no creo que ésa sea la solución. ¿Algún consejo?

¡Vaya, ésta es dura! Repasemos los siguientes puntos: Si tu padre no pasaba demasiado tiempo con vosotros mientras aún estaba casado con tu madre, puede que sea una de esas personas que no están hechas para ser padres. Eso no significa que no te quiera. Lo que sí significa es que no sabe cómo ser un padre bueno y dedicado.

Por otra parte, puede que no se trate de eso. Puede que sea porque veros le recuerda que su matrimonio ha fracasado y que no lo esté llevando demasiado bien. Puedes intentar hacer que siga pensando en ti enviándole cosas como tarjetas electrónicas divertidas, cartas y chistes por correo electrónico. Quizá, una vez haya superado el dolor que siente, esté mejor preparado para verte. Además, al enviarle cosas mantienes abierta la comunicación y él no se preguntará si le aceptarás o no cuando esté preparado para verte.

Tu hermana no está del todo equivocada. Está claro que tener un padrastro no reemplazará a tu padre ni hará desaparecer el dolor que te produce el hecho de que él os ignore, pero tener la figura de un padre cariñoso en casa sería positivo por muchas razones. En primer lugar, te sentirás mejor contigo mismo/a al ver que un hombre mayor, la figura de un padre, te quiere de verdad y disfruta pasando tiempo contigo. En segundo lugar, es bueno tener un padre al que acudir con preguntas o problemas que preferirías discutir con una figura masculina. Así que si tu mamá vuelve a casarse alguna vez, tú te beneficiarás de ello.

Mientras siga sin haber una figura paterna en casa, puede que te ayude encontrar a otra persona que pueda ser para ti un «padre sustituto». Esa persona podría ser un abuelo o un tío, el marido de una de las amigas de tu madre o el padre de uno de tus amigos. Podría ser alguien que conocieras del vecindario.

Cuando tenía dieciocho años y me fui a vivir por mi cuenta, me hice amiga del farmacéutico de la farmacia del barrio y le convertí en un padre sustituto (el mío había muerto). Escoge sabiamente. No te agarres al primer hombre mayor con aspecto remotamente paternal que veas y no esperes de él que sustituya por completo a tu padre. Sin embargo, tener una figura paterna con la que hablar y de la que puedas obtener buenos consejos es algo bueno en un momento en el que tu propio padre no está disponible para ti.

Sobre todo, recuerda que si tu padre no va a verte **no es por algo que tú hayas hecho**. Es obvio que el problema es **suyo**. (El hecho de que no te vaya a ver ni a ti ni a tu hermana demuestra que tengo razón. Es imposible que los dos hicierais algo que le molestara o le hiciera enfadar.) Tanto si su instinto paternal no es bueno como si no es capaz de enfrentarse a que le recuerden que su matrimonio ha fracasado, sea cual sea el problema, es **su** problema. ¡Tú no tienes nada que ver!

¿Cuánto tiempo puede durar una separación? Mis padres se separaron el año pasado (hace más de un año) pero aún no están ofi-

cialmente divorciados. ¿Conoces la expresión «estar en vilo»? Pues así es cómo me siento. Mientras sigan estando «separados» y no divorciados sigo albergando la esperanza de que vuelvan a estar juntos. Bueno, hasta ahora no se han divorciado... pero tampoco han vuelto a estar juntos. ¡Simplemente están separados! ¿Cuánto tiempo pueden estar separados los padres antes de tener que tomar una decisión?

Desafortunadamente para ti no existe ley alguna que les obligue a «tomar una decisión». Como recordarás de una pregunta anterior, existen dos tipos de separaciones. Una es la separación de prueba, por la cual una pareja intenta vivir separada para ver si están mejor así que casados y viviendo juntos. La otra no es una prueba, sino que la pareja ya sabe que quiere romper. Lo único que sucede es que no han ultimado el divorcio todavía. No tengo manera alguna de saber en qué tipo de separación se hallan tus padres, pero si ya ha pasado más de un año y todavía no han vuelto, no parece haber muchas esperanzas de que lo vayan a hacer.

A veces, las parejas que se separan con la intención de que sea de forma permanente no tienen prisa por obtener el divorcio. Existen varias razones para ello, aunque la verdad es que no importan demasiado. La mayoría de ellas no tienen nada que ver con el hecho de pensar en volver a estar juntos. A modo de ejemplo, te diré que un divorcio cuesta dinero. (¡Los abogados no son baratos!) Si ninguno de los padres tiene prisa por volver a casarse, puede que les baste con separarse. Ahora que ya no viven juntos, son más felices y obtener el divorcio es menos importante para ellos.

Claro que entiendo que una separación sin divorcio puede enviar señales confusas. No sabes cómo van a resultar las cosas. No obstante, te repito que si han estado separados algo más de un año no parece haber demasiadas posibilidades de que vuelvan a estar juntos. Estarás más seguro/a si concibes la separación como si fuera un divorcio. Tus padres ya no están casados, sea cual sea la etiqueta que le hayan puesto a la ruptura.

Mi padre tiene genio. Cuando vivía con nosotros, gritaba mucho y a veces tiraba cosas. Ahora que mis padres están divorciados, ya no sucede tan a menudo, pero todavía hay veces en las que cuando estoy en casa de papá, él estalla. Un día fue a casa y se puso hecho una fiera con mamá. Pensé que iba a pegarla. Lo intentó, pero ella salió corriendo a casa de los vecinos. Me da vergüenza contárselo a alguien. ¿Qué debo hacer?

Para empezar, deja de avergonzarte. Tú no eres responsable de los actos de tu padre (de los de tu madre o de los de nadie más que los tuyos). Nadie va a pensar mal de ti por lo que hace tu padre.

Debes asegurarte de que estás a salvo (y quizá podrías asegurarte de que tu madre también esté a salvo). Debes hablar con alguien, alguien que no sea tu madre, como, por ejemplo, la policía, el consejero o psicólogo de tu colegio, tu doctor, el líder juvenil o el clérigo de tu iglesia, parroquia o sinagoga, un profesor o entrenador en el que confíes o un abuelo.

El tribunal podría ordenar a tu padre que asistiera a clases para aprender a controlar la ira o que buscara asesoramiento psicológico. Si su problema se deriva del consumo abusivo de alcohol u otras sustancias, puede que se le ordene hacer algo al respecto. ¿No estarás mejor cuando no vuelvas a tener miedo de él? Mientras tanto, y hasta que él no controle su genio, no hace falta que vayas a verle a su casa o que él vaya a la tuya. Puedes insistir en verle únicamente en un sitio público. Es menos probable que se vuelva violento en un restaurante, cine, teatro o parque.

Si supone verdaderamente un peligro para tu familia, tu madre puede solicitar una orden de alejamiento a la policía que impedirá a tu padre acercarse a tu casa. Esto también contribuirá a protegerla de él.

Nadie tiene derecho a hacerte daño a ti o a tu madre. Existen leyes para protegerte. No temas buscar la ayuda que necesitas y ten presente que tu padre también necesita ayuda; ayuda para controlar su genio. Las mismas personas (policía y jueces) que pueden ayudarte a ti y a tu madre a estar a salvo, pueden asegurarse de que tu padre obtiene la ayuda que necesita.

Cuando vuelvo a casa de ver a mi padre, mi madre siempre me pregunta si me lo he pasado bien. La mayoría de las veces digo que sí porque es cierto que la mayoría de las veces me lo paso bien. A veces, sin embargo, cuando digo que no, me da la impresión de que se alegra. ¿No debería decirle nada cuando me lo pase bien? ¿Debería asegurarme de que le cuento qué es lo que ha ido mal? Creo que eso podría alegrarla más aún.

Le he comentado esto a un amigo mío cuyos padres también están divorciados. El padre de Brian trabaja muchas horas y nunca ha pasado demasiado tiempo con él, ni siquiera antes del divorcio. Por lo tanto, Brian no está acostumbrado a ver a su padre con frecuencia. Cuando Brian va a ver a su padre, éste siempre le pregunta: «¿Me has echado de menos?». Brian dice que le contesta que sí aunque en realidad no sea así. Es probable que Brian pase más tiempo con su padre ahora que antes del divorcio, así que en realidad no le echa de menos entre una visita y otra. Sin embargo, Brian quiere hacer feliz a su padre, al igual que yo quiero hacer que mi madre se sienta bien, así que les decimos lo que creemos que quieren oír. ¿Hacemos lo correcto?

Sigue diciéndole a tu madre la verdad, sea cual sea. Como ya he explicado antes, los padres son seres humanos y, aunque esté mal, puede que a tu madre le alegre pensar que te lo pasas mejor en su casa que en la de tu padre. Pero si te lo has pasado bien en casa de tu padre, no temas decirlo y no intentes buscar pequeños problemas que contarle a tu madre sólo para hacerla feliz.

Por lo que se refiere a tu amigo Brian, puede responderle a su padre sin ser deshonesto y sin herir sus sentimientos a la vez. Cuando el padre de Brian le pregunte si le ha echado de menos, Brian puede responder: «¡Siempre me alegra verte!» o ser más honesto aún y decir: «Bueno, ¡la verdad es que te veo más ahora que antes!». Los niños no deberían intentar sentir emociones que en realidad no sienten sólo por contentar a sus padres.

Intenté hablar con mi padre de lo que pensaba del divorcio pero él me dijo: «No es nada importante. Hay mucha gente que se divorcia. No hagas una montaña de un grano de arena». No lo entiendo. ¿Son mis sentimientos tan poco importantes para él? ¿Y no significa nada para él no estar ya casado con mamá?

Tu padre se está protegiendo a sí mismo y, por desgracia, te está haciendo daño a ti por el camino. A veces, las personas le quitan importancia a determinadas situaciones porque no quieren admitir lo graves que son en realidad. Es probable que en su interior le duela y la manera que tiene de afrontarlo sea hacer ver que no es tan importante como parece. Sin embargo, aunque está intentando ayudarse a sí mismo, a ti no te ayuda en absoluto.

Entiende por favor que tu padre no es tan despreocupado como parece. Lo que pasa es que se ha puesto «la máscara de no me preocupo» para ocultar y proteger sus propios sentimientos. No obstante, esto no te ayuda para nada. Te sugiero tres cosas:

✓ Hablar con tu madre en vez de con él. Tanto si vives con tu padre como con tu madre o eres chico o chica, es probable que puedas hablar con tu madre de lo que te preocupa y preguntarle lo que quieres saber. Este tipo de conversación siempre es mejor en persona, pero quizá vivas con tu padre, necesites hablar **justo ahora** y él no esté abierto a mantener esa conversación contigo. En ese caso, una llamada de teléfono a tu madre es mejor que guardarte tus preguntas y sentimientos para ti.

✓ Si es una conversación sobre el divorcio en general, o sobre tus sentimientos, y tu padre no quiere hablar del tema y tu madre no está cerca, puedes intentar hablar con otra persona. A lo largo de este libro he sugerido diversas personas con las que podrías hablar, desde amigos y familiares, a profesores, líderes juveniles, consejeros del colegio, clérigos, psicólogos y otros profesionales.

- ✓ Si se trata de una conversación que debes mantener sólo con tu padre (si tiene que ver, por ejemplo, con preguntas acerca del divorcio de tus padres, en vez de sobre el divorcio en general, o con tus sentimientos) puedes intentar hacerle entender que esto es importante para ti. Puedes decir (con las palabras que más cómodo te resulte): «Oye, papá, quizá para ti no sea importante pero para mí sí, al igual que lo es para muchos de los niños cuyos padres se divorcian. Así que te pido que por favor respetes mis sentimientos. No hace falta que me cuentes nada que sea demasiado personal o íntimo pero necesito de verdad hablar contigo de esto. ¿Podemos hablar... por favor?».

Por supuesto, si tus preguntas tocan áreas privadas que deben quedar entre tu padre y tu madre, como por qué se rompió el matrimonio en primer lugar, debes respetar el derecho a la intimidad de tu padre y tu madre. Asegúrate de que no presionas a tu padre para que hable de asuntos que se entrometen en la intimidad de tus padres. Puede que a tu padre no le guste decirte: «No es asunto tuyo», pero la verdad es que algunos aspectos del divorcio **no son** asunto tuyo.

> *Mi madre no quiere decirme por qué rompieron papá y ella pero oí una conversación por causalidad y ahora sé que es porque papá la engañaba. Ahora ya no siento lo mismo por papá. ¿Cómo pudo hacerle eso? Ya ni siquiera me gusta ir a su casa pero no sé qué decirle cuando me pregunta por qué no quiero verle.*

La infidelidad es ciertamente una de las razones por las que las parejas rompen y es una de las cosas en las que pienso cuando digo que puede que la razón del divorcio no sea algo que debas saber, sino algo privado que debe quedar entre tus padres. Veamos unas cuantas cosas en las que deberías pensar:

No sabes con certeza si es verdad. Sólo sabes que es lo que tu madre cree.

Suponiendo que fuera verdad, no sabes **por qué** fue infiel. Aunque ser infiel es algo que está muy mal, puede que existan otros factores que desconoces, cosas que podrían hacer que lo que tu padre hizo pareciera más comprensible si conocieras toda la historia.

En cualquier caso, lo que hizo se lo hizo **a tu madre**. Entiendo que quieras proteger a tu madre («¿¡Cómo puedo hacerle eso a ella!?») pero recuerda por favor que en realidad eso no cambia nada entre tu padre y tú. Estoy segura de que tú también has hecho cosas que no deberías haber hecho. Sí, tu padre metió la pata. ¡Hasta el fondo! Pero dale un respiro y recuerda que sigue siendo tu padre y te quiere.

Metió la pata y ahora está pagando por ello. Ha perdido su matrimonio y la oportunidad de vivir con sus hijos. Ya está recibiendo su castigo, pero no es responsabilidad tuya aumentar dicho castigo ni estás en posición de juzgarle cuando desconoces la historia completa.

Te sugiero que la próxima vez que te pregunte por qué no quieres ir a verle, se lo digas. Deja claro que mamá no te lo ha contado y que lo has descubierto porque has oído la información por casualidad. Merece saber por qué su hijo se está apartando de él. Ten esa gentileza con él.

Antes del divorcio, pensaba que la situación en casa parecía tensa y que papá trabajaba hasta tarde muchas noches a la semana. Le pregunté a mamá y ella me contestó que todo iba bien. Se lo pregunté varias veces, pero ella siempre insistía en que todo iba bien. Y poco después, ¡pum!, anuncian que van a pedir el divorcio. Ahora me siento como si mamá me hubiera mentido. No es una buena sensación. ¿De verdad es posible que todo fuera tan bien y que el divorcio fuera tan repentino?

Posiblemente no, pero es más probable que tu madre intentara protegerte o se mintiera a sí misma, que te mintiera a ti. Puede que quisiera creer que todo iba bien y que por lo tanto se dijera a sí misma que todo iba bien... y, en consecuencia, te dijera lo mismo a ti. También es posible que se diera cuenta de que había algún problema pero tuviera la **esperanza** de que las cosas se arreglarían por sí solas. Así que te decía a ti que todo iba bien porque esperaba que al final las cosas funcionarían y no quería que te preocuparas innecesariamente.

No es que esté intentando hacer que su mala información parezca algo positivo. En el primer caso, se está engañando a sí misma al decirte que lo que piensa, o espera, es verdad, incluso a pesar de que no lo es. En el segundo caso te está engañando deliberadamente por una buena razón, protegerte, mientras cree o por lo menos espera que al final todo va a ir bien.

Por supuesto, al final el divorcio fue un duro golpe para ti porque te habían dado pie a pensar que todo iba bien cuando en realidad no era así. Es una lástima pero, por otra parte, supón que tus padres tuvieran problemas y tu madre te lo dijera y luego encontraran la forma de resolverlos y permanecieran juntos. Te habrías preocupado y habrías estado triste por nada, así que no seas demasiado duro/a con tu madre. Ella quería lo mejor para ti.

Puntos a recordar

✓ No intentes volver a unir a tus padres. Es muy probable que tú no sepas toda la historia. Puede que a ti te parezca bien intentar hacer que vuelvan a estar juntos pero lo más probable es que no funcione y, créeme, puede que no sea una buena idea en general.

- ✓ Incluso aunque sólo uno de los padres quisiera el divorcio, es mejor que no albergues esperanzas de que vuelvan a estar juntos de nuevo.
- ✓ Si tu madre o tu padre está triste a causa del divorcio, puedes pensar en cosas que podrías hacer para que se sienta mejor, pero si no se te ocurre nada, no te sientas mal. Recuerda que tú no eres responsable de su felicidad.
- ✓ Si uno de los padres quería el divorcio pero ahora está triste, eso no significa que le gustaría seguir estando casado.
- ✓ Una «separación de prueba» significa que la pareja está intentando vivir por separado para ver si les va mejor que estando casados. El otro tipo de separación se da cuando los padres viven separados hasta que se les conceda el divorcio.
- ✓ Si eres un adolescente, hay probabilidades de que el juez tenga en cuenta tus deseos acerca de con cuál de los dos padres quieres vivir, pero no tiene por qué estar necesariamente de acuerdo con lo que tú prefieras. Existen muchos otros factores a tener en cuenta.
- ✓ Si tus padres están de acuerdo, puedes visitar al padre con el que no vives con una fre-

cuencia mayor de la establecida por el juez en la sentencia de divorcio.

- ✓ Si quieres vivir con tu otro padre, piénsate bien las razones. Asegúrate de que son buenas. Luego pregúntaselo a tus padres y procura hacerlo sin herir los sentimientos de nadie.
- ✓ Si el padre que no tiene la custodia no te ve con regularidad, ¿estás seguro/a de que no has estado actuando mal, herido sus sentimientos o ejercido presión para que «fuera a casa» cuando has ido de visita? Si la respuesta es no, probablemente no tenga nada que ver contigo. Háblalo con él o ella.
- ✓ Es probable que en un momento dado tus padres empiecen a salir con otras personas.
- ✓ Si tus padres se vuelven a casar, no es necesario que llames «papá» al nuevo marido de tu madre o «mamá» a la nueva esposa de tu padre.
- ✓ Si no te gusta la nueva pareja de tu madre o tu padre, igual podrías irte a vivir con tu otro padre, pero primero dale una oportunidad. Asegúrate de que no estás resentido o resentida con él o ella por «quitarle el sitio a tu madre o a tu padre».

- ✓ Si echas de menos tener a tu padre cerca pero disfrutas de la paz y la tranquilidad que hay en casa desde que se acabaron las peleas, puedes decírselo con honestidad si él te pregunta si le echas de menos, pero díselo con tacto. No hieras sus sentimientos siempre y cuando puedas evitarlo.
- ✓ Si desde que tus padres se divorciaron uno de ellos ha empezado a tratarte como si fueras su amigo/a, tienes derecho a pararle los pies. Puedes usar la expresión «D.I.» (Demasiada Información) para hacerle ver que ha traspasado los límites.
- ✓ Los «papás Disneylandia» o las «mamás centro comercial» intentan «comprar» el cariño de sus hijos con regalos, excursiones a parques de atracciones u otras cosas caras. Eso no es bueno. Puedes hablar con ellos e intentar pararles.
- ✓ No te enfades con el padre que se ha ido de casa. Él o ella ha dejado a tu madre o padre, no a ti, y puede que ni siquiera fuera decisión suya.
- ✓ Si llevas mucho tiempo enfadado o enfadada, busca ayuda profesional; una terapia a corto plazo que te ayude a superar tu rabia.

- ✓ La gente suele criticar a una madre cuando se va de casa y deja a los hijos con el padre, pero eso no es asunto de nadie más que de tu familia y tú no tienes por qué escuchar sus críticas. Puedes decirles con educación que no quieres oír hablar del tema.
- ✓ Algunas personas no están hechas para ser padres. Un pequeño número de madres y padres que se divorcian dejan de ver a sus hijos porque son personas que no deberían haber tenido hijos nunca. No significa que tus padres no te quieran y tampoco es por nada que tú hayas hecho.
- ✓ A veces los padres se separan sin llegar a divorciarse. Esto no significa necesariamente que estén pensando en volver a vivir juntos. Puede que simplemente no sientan la necesidad de divorciarse justo ahora o que no dispongan del dinero que cuesta un divorcio. Para ellos, lo importante era dejar de vivir juntos, y la separación ya cumple dicho propósito. Es mejor que pienses que ya están divorciados. No albergues esperanzas de que vuelvan a juntarse. Es muy probable que no suceda.

- ✓ Si uno de tus padres se enfada sin razón y se vuelve agresivo (golpea, tira cosas, grita de forma amenazadora) debes decírselo a alguien, tanto si su rabia está dirigida a ti como a tu madre o padre. No te avergüences de ello. Tú no eres responsable del comportamiento de tus padres. ¡Busca ayuda!
- ✓ No finjas sentir emociones que en realidad no sientes sólo por complacer a tus padres.
- ✓ Incluso aunque descubras que la causa del divorcio de tus padres fue que uno de ellos le hizo algo mezquino o malo al otro, es algo entre ellos dos. Si tu madre le fue infiel a tu padre o tu padre le hizo algo cruel a tu madre, sigue siendo algo entre ellos dos. Intenta no dejar que lo que tu padre o tu madre hiciera afecte tus sentimientos hacia él o ella. No es algo entre tus padres y tú.

10. Unas últimas palabras

Sí, ser adolescente ya es lo bastante duro como para que encima tus padres se divorcien pero, por otra parte, es posible que tus padres se hayan pasado los días atacándose verbalmente, cosa que tampoco tiene que haber sido muy agradable para ti, y quizá ahora necesites esa tan bien merecida paz. También es posible que tus padres hayan estado descargándose contigo y enfadándose excesivamente por cosas insignificantes sólo porque estaban molestos el uno con el otro. Puede que eso también cambie ahora, si no de inmediato, sí en un futuro no muy lejano.

Así que, como ves, no hay mal que por bien no venga.

Espero que este libro sea una buena guía y un buen amigo para ti mientras recorres el laberinto de tu relación con tus padres divorciados (y, créeme, con el tiempo **es** más fácil). No temas apoyarte en los demás: en tus amigos (especialmente aquellos que también han pasado por esto), en los profesionales que mencioné al inicio de este libro (tales como el consejero o psicólogo de tu colegio o un clérigo), en vecinos que se preocupen por ti o en los padres de tus amigos, es decir, en cualquiera que pueda ayudarte. No hay necesidad de avergonzarse. Por desgracia, los divorcios entre padres se producen continuamente y, por lo tanto, el divorcio de tus padres no es algo por lo que tengas que sentirte incómodo/a o violento/a. Recuerda que **no es culpa tuya**. ¡Por un futuro más feliz!

Índice temático

Índice general